SDGs 時代の木材産業

ESG 課題を経営戦略にどう組み込むか？

J-FIC

—

木材産業の潜在力を活かせ

SDGs と ESG 投資

　2015 年の国連サミットにおいて「持続可能な開発のための 2030 アジェンダ」が全会一致で採択され、その中で、持続可能な開発目標（SDGs：Sustainable Development Goals）として、2030 年までに世界共通で取り組むべき 17 の目標とそれらを達成するための 169 のターゲットが示されました。SDGs は、2000 ～ 15 年のミレニアム開発目標（MDGs）の後継ですが、SDGs の方がメディアなどで取り上げられる機会も多く、圧倒的に注目度が高いようです。MDGs は途上国の課題解決が主で、政府や国際機関に求める役割が大きかったのですが、SDGs は環境、経済、社会など先進国が抱える課題も対象としており、ここでは民間企業の役割が重視され、グローバル企業がその推進を主導しているためと考えられます。

　SDGs を達成するための取組の 1 つとして、近年、ESG 投資が注目されています。ESG とは、環境（Environment）、社会（Social）、ガバナンス（Governance）の頭文字をとった略称で、企業の持続的な成長のためには、これらの観点が重要であるという考え方です。これまで、企業の価値は、主にキャッシュフローや利益率などの財務情報によって判断されてきましたが、これに加え、ESG に関する取組（非財務情報）が評価の対象になりつつあります。世界では、ESG に力を入れるポジティブな企業への 2018 年の投資が 3,350 兆円（世界の投資残高の 33.4％）を超え、年率 16％で成長してます。「十分に配慮していない」と見なされるネガティブな企業からは資金が引き揚げられています。機関投資家のこのような動きに連動し、ESG 課題への対策を経営戦略の根幹に据える企業が近年急速に増えています。

日本の SDGs 対応

　日本でも、政府が SDGs 推進本部を設置し、内閣総理大臣が本部長を務めるなど注力した活動をしています。国連持続可能な開発ソリューション・ネットワーク（SDSN）によると、世界の 2019 年 SDGs 達成度ランキングにおいて、日本は 162 カ国中 15 位とのことです。北欧をはじめ欧州諸国には及びませんが、アメリカ（35 位）、中国（39 位）などの大国よりも順位は上で、アジアではトッ

プです。ESG 投資の日本の状況は、世界から見ると少々遅れ気味ではあるものの、2015 年に年金積立金管理運用独立行政法人（GPIF）が PRI（国連責任投資原則）に署名し、2017 年から ESG 投資を開始したことにより、日本でも ESG 投資が一気に広がっています。GSIA（Global Sustainable Investment Alliance）の 2018 年版 ESG 投資統計報告書（GSIR）によると、ESG 投資の割合が投資残高の 18.3% となっており、2016 年の 3.4% から飛躍的に増加しています。

　日本には古くから、取引相手や社会を慮る「三方よし」（売り手よし、買い手よし、世間よし）の商慣習があるため、「世間よし」に地球環境を入れると、SDGs の考え方には馴染みやすいはずです。ただ、SDGs は自主的な取組を促すソフトローであり、日本人は法律などハードローにはきちんと従うものの、前者には些か苦手な側面もあるようです。それと、「世間よし」（環境、経済、社会）に貢献しても、それを自慢することを善しとしない日本の文化が、それらを巧く表現（開示）することを妨げているようです。

　日本経済新聞社が 2019 年に行った SDGs 経営調査では、日本でも、新規事業の開発や経営計画に SDGs を取り入れている企業が 6 割を超えています。SDGs 格付けの高い企業は、ROE（自己資本利益率）などの経営効率指標が高い傾向にあり、市場からの評価も相対的に高いと報告されています。また、ミレニアル世代に広がりを見せるエシカル（倫理的）消費への対応にも SDGs の観点が重要とされています。さらに、2018 年に実施された東大生の意識調査では、大半の学生が、就職活動に企業の SDGs 貢献度を考慮すると回答しています。すでに、SDGs や ESG の観点は、企業経営において無視できないものとなりつつあるのです。

SDGs 時代の木材産業

　木質資源の適正な利用は、地球温暖化対策（E）や地域経済振興（S）などの観点から、持続可能な循環型社会の実現を目指す SDGs の目標達成に貢献できる要素を多岐に有しています。ESG 投資においてもポジティブに評価される潜在的な優位性があります。木材利用は、炭素貯蔵、省エネ、エネルギー代替、森林整備などの効果によって直接的に地球温暖化対策に貢献でき、国産材時代を迎えた日本においては山間地域の経済振興に貢献できます。

　さて、木材産業は、これらの潜在力を活かせているでしょうか。先進的な取組をされている企業もありますが、総じて、林業、木材産業は、SDGs や ESG 投

資に対する意識が低く、知識が少ないと言わざるを得ません。木材産業には非上場の中小企業が多く、それらの経営者にはSDGsやESG投資を対岸の火事と捉えている方も少なくありません。SDGsやESG投資は上場企業だけの問題ではなく、評価の対象はサプライチェーンの構成要素全体に及ぶことを知らなければなりません。GPIFがPRIに署名したことによって、大手企業のESGに関する取組が急加速したように、大手企業の取組が深化するに従い、原料調達、販売先などの協力企業にも、ESGへの配慮が求められることになります。例えば、原料調達においては、違法伐採による森林破壊などネガティブに評価される要素も懸念されることから、そのリスク管理が必要となるのです。

SDGs時代の木材産業のあるべき姿を考えるとき、木材産業が有する潜在的な優位性とリスクを抽出して整理し、それらを利害関係者へ正しく巧く伝える方法を検討しなければなりません。まずは科学的根拠に基づいた潜在要素の検証が必要でしょう。一方、具体的な取組においては、学術によって解決できる課題ばかりではありません。そこで著者らは、木材利用システム研究会の企業会員に呼びかけ、行政機関とも連携して、2018年4月より研鑽会「木材産業におけるESG」を立ち上げました。中小企業が多い木材産業の特徴を考慮しつつ、木材関連企業がESGの観点からどのような行動を選択するべきかを議論するとともに、それぞれの事業活動を点検するための指標の開発を進めています。本書は、研鑽会における2年間の活動を取りまとめたものです。

本書は、木材産業にかかわるすべての方々にご覧いただきたいと願っています。SDGsやESG課題への取組は、CSR担当や経営企画などの特定部署だけではなく、トップのリーダーシップのもと、全社体制で行う必要があります。それぞれがSDGsやESGを自らのビジネスにかかわる重要なテーマと意識され、関連する知識を学ばれることによって、業界全体が底上げされることを期待しています。そして、木材産業が潜在力を100%活かし、それぞれの事業活動を通じて、環境、経済、社会的課題の解決に貢献でき、これらが正しく評価されるきっかけとなれば幸いです。

2020年1月

東京大学教授
木材利用システム研究会会長
井上雅文

目次

第1章

SDGs と ESG の基本を理解する

はじめに

　ここ数年、体験したことのない酷暑やゲリラ豪雨など、過去の経験からは考えられない異常気象が各地で観察されるようになった。

　このような変化に伴い、多くの市民が気候変動問題への関心を深めている。スウェーデンの女子高生による、気候変動問題への抗議のための授業ボイコット運動が、フェイスブックなどを通して 125 カ国 2,350 都市の 180 万人を動員する 'Fridays for Future movement'[1] へと広がりを見せていることは、その一例である。

　また、企業による環境問題に対する積極的な取り組みも目立つようになった。マクドナルドやすかいらーく、IKEA などの多国籍企業が、鼻にプラスチックストローが刺さったウミガメを救助した動画の拡散をきっかけとし、プラスチック製のストローの使用中止を宣言した。海洋を浮遊するマイクロプラスチックによる生態系汚染の問題は、現在、世界中から大きな関心を寄せられており、例えば、オランダに拠点を置く NGO の The Ocean Cleanup[2] は、現在までに企業や篤志家から 44 億円の資金を集め[3]、太平洋に浮遊するプラスチックごみの回収プロジェクトを実施している。2015 年の気候変動枠組条約パリ協定は政治的なターニングポイントであったが、このような政治的な動きに、企業や NGO の動きが素早く、大きく連動する姿は、パラダイムシフトを予感させるものである。

　本書のキーワードである「SDGs」は、Sustainable Development Goals（持続可能な開発目標）の略称である。SDGs は、2015 年に開催された「持続可能な開発サミット」において採択された行動計画「我々の世界を変革する：持続可能な開発のための 2030 アジェンダ」の中で目標として掲げられた。

　持続可能な開発目標（SDGs）は、すべての人々にとってよりよい、より持続可能な未来を築くための青写真です。貧困や不平等、気候変動、環境劣化、繁栄、平和と公正など、私たちが直面するグローバルな諸課題の解決を目指します。SDGs の目標は相互に関連しています。誰一人置き去りにしないために、2030 年までに各目標・ターゲットを達成することが重要です。

出典：国際連合広報センター[4]

SDGs は、"No one left behind（誰一人置き去りにしない）"ことをモットーに、国、企業、NGO など、すべての関係者が参加してその解決に取り組むことが期待されている。

　本書のもう 1 つのキーワードである「ESG」は、環境（Environment）、社会（Social）、ガバナンス（Governance）の頭文字を並べたものであり、気候変動などの環境課題、ジェンダーなどの社会課題、企業の経営活動の統治にかかわる課題を意味する。これらの課題を ESG 課題と呼ぶ。また、ESG 課題への取り組み度合いを投資判断基準とする投資のことを ESG 投資と呼ぶ。

　ESG 投資はこれまで、上場企業を対象とした投資家による投資戦略の観点で語られることが多かった。ところが最近では、非上場企業にとっても重要になりつつある。

　その要因は 2 つある。まず、ESG 課題への取り組みが、資金力や人材豊富な上場企業であっても一企業の努力だけでは難しく、当該製品のサプライチェーンを構成する多くの非上場企業との協業が不可欠である点である。例えば、ハウスメーカーにとって、木製の柱や床材の合法性は ESG 課題の観点から重要である。しかし、そのトレーサビリティを 100% 確保するには、自社の木材調達部門だけでなく、サプライチェーンを構成する取引先各社を巻き込んだモニタリングの仕組みをつくり上げる必要がある。

　別の観点として「ESG 融資」の登場が挙げられる。これは、金融機関による融資の審査基準に、ESG 課題への取り組み度合いを加えた新たな融資手法である。現在、ESG 融資は始まったばかりであるが、環境省の「ESG 融資モデル利子補給事業」など行政によるバックアップも始まっていることから、今後、非上場企業の主な融資元である地方銀行や信用金庫においても、同様の取り組みが行われる可能性が高い。

　SDGs と ESG 投資はその源流こそ異なるが、共にグローバルな環境課題、社会課題を解決し、持続可能な社会を構築するための取り組みである。SDGs によって示された 2030 年をターゲットとしたグローバル課題には、ESG 課題のうち、環境および社会課題の多くが含まれることから、SDGs への取り組みの手法が ESG 投資であると考えることもできる。一方、ESG 課題および ESG 投資は、後ほど解説するように SDGs とは異なる源流を持つ概念であること、また、2030 年以降も引き続き取り組むべき目標である点にも留意すべきであろう。

　教育現場では、文部科学省が 2017 年 3 月に公示した新学習指導要領の前文に「持

続可能な社会を創る」担い手を育てることを明記したことを受け、SDGs を学ぶ時間が設けられるようになった。私立中学の入試問題でも SDGs 関連の設問が多くの学校で取り上げられている[5]。学校で SDGs を学んだ世代が社会人となるのも、そう遠い未来ではない。

1-1.SDGs と企業活動

　SDGs は、2000 年に開催された国連ミレニアムサミットで採択されたミレニアム開発目標（MDGs：Millennium Development Goals）を土台としている。MDGs は 2015 年を目標に、途上国、中でも最貧国が直面していた飢餓撲滅、乳幼児死亡率の低減、マラリアなどの蔓延防止といった人道的課題を、先進国の援助によって解決していこうとするものであった。SDGs は、MDGs がターゲットとした途上国の貧困問題だけでなく、「誰一人取り残さない」をキーワードに、環境問題や経済格差の是正など、全世界が共通して直面している課題に焦点を当て、変革を行おうとする点が特徴的である。

　SDGs は、政府や環境 NGO といった特定の組織だけが取り組むべき課題ではない。SDG17 として「パートナーシップで目標を達成しよう」が掲げられていることからもわかるように、多くの関係者の協業が必須である。

　中でも、企業による取り組みは重要である。グローバルな課題に企業がより積極的にかかわるべきであるとし、SDGs へと続く流れを創り出したのは、国連事務総長であったコフィ・アナン氏である。

　彼は、1999 年に開催された世界経済フォーラムの席上で、

　「世界共通の理念と市場の力を結びつける力を探りましょう。民間企業のもつ創造力を結集し、弱い立場にある人々の願いや未来世代の必要に応えていこうではありませんか」[6]

と述べ、企業の役割に大きな期待を寄せた。このメッセージに基づき、翌年公表されたのが、「国連グローバル・コンパクト」10 原則である。これは、企業や団体が責任ある創造的なリーダーシップを発揮することによって、社会のよき一員として行動し、持続可能な成長を実現するための世界的な枠組みである。この 10 原則は、人権、労働、環境、腐敗防止の 4 分野をカバーしている（表1-1）。この原則に賛同する企業は署名を行うことで、コミットメントを宣言する。これまでに世界 160 カ国、1 万 3,000 以上の企業および団体が署名している。

表 1-1　国連グローバル・コンパクト 10 原則

人権	原則 1	人権擁護の支持と尊重
	原則 2	人権侵害への非加担
労働	原則 3	結社の自由と団体交渉権の承認
	原則 4	強制労働の排除
	原則 5	児童労働の実効的な廃止
	原則 6	雇用と職業の差別撤廃
環境	原則 7	環境問題の予防的アプローチ
	原則 8	環境に対する責任のイニシアチブ
	原則 9	環境にやさしい技術の開発と普及
腐敗防止	原則 10	強要や贈収賄を含むあらゆる形態の腐敗防止の取組み

出典：国連グローバル・コンパクト 10 原則[7]

　現在、SDGs は企業戦略を考える上での世界共通語となりつつある。例えば、経団連は、IoT や AI の活用による社会全体の最適化を通して SDGs を達成する「Society 5.0 for SDGs」をスローガンに、会員企業の先行事例を公表している。企業は社会を構成する重要な一員として、グローバルな課題に積極的に取り組むことが求められている。

　SDGs との関係で、イニシアチブも重要である。イニシアチブとは、もともと「発案」を意味し、市民が代議員を通さずに直接議会に議題を提出する行動を指していたが、現在では、国際機関や NGO が企業に対して、環境および社会課題への取り組みを提案する動きを指す。例えば、国連グローバル・コンパクトは、国連主導のイニシアチブである。

　以下、木材利用とかかわりの深い気候変動問題に取り組むイニシアチブとして CDP と RE100 を紹介する。

　CDP は、大手企業の二酸化炭素排出量や気候変動問題への取り組み状況を公表することを目的に、2000 年に設立された国際 NGO である。CDP は、企業に質問書を送付し、その回答内容を評価するが、その活動が投資家や環境 NGO の支持を得たことにより、大きな影響力を持つようになった。現在では、世界各国の 7,000 以上の企業が CDP からの質問書に回答している。また、その情報は、525 以上の機関投資家によって投資判断に利用されている[8]。CDP の活動プログラムには、「気候変動」「水」「森林」「サプライチェーン」「都市」がある。木材利用と関係の深い気候変動プログラムにおいて最上位の A リスト入りした日本

企業は、住友林業や積水ハウスなど 20 社であった[9]。

　RE100 は、企業経営に必要な電力を、100％再生可能エネルギーで賄うことを目的としたイニシアチブである。RE100 が注目する持続可能なエネルギー源として、風力、太陽光、水力、地熱と並び、木質バイオマスも挙げられている。原子力は含まれない。企業が再生可能エネルギー 100％を達成するための方策として、自社で所有している再生可能エネルギー発電所からの電力のみを利用するか、再生可能エネルギー電力を市場から購入して利用する方法が考えられる。RE100 に賛同する企業は、そのどちらかの手法により 100％再生可能エネルギー化に向けた取り組みを行う。また、RE100 に賛同する企業は、毎年、進捗状況を CDP 気候変動プログラムのフォーマットに基づき報告しなくてはならない[10]。

1-2.SDGs の各ゴール

　SDGs は、現在存在するさまざまなグローバル課題を包括している。一方、投入できる資源に限りのある企業にとって、SDGs の中から、自社が取り組むべき課題をどのように選択するかが重要である。SDGs はすべての関係者、団体を対象としているが、ここでは企業の立場から SDGs の各課題をどう理解していけばよいかを検討し、自社が取り組むべき課題選択へのヒントを探る。

　SDGs の全体像を理解するためのフレームワークとして、図 1-1 で示したウェディングケーキモデル[11] や「5 つの P」[12] がある。

　ウェディングケーキモデルは、SDGs の 1 から 16 までの各ゴールを、Biosphere（生態系）、Society（社会）、Economy（経済）の 3 つのカテゴリーに分割した上で、生態系が社会を、社会が経済を支えるという、SDGs の関係性を示したものである。「5 つの P」は、People（人間）として SDG1 〜 6 を、Prosperity（繁栄）として SDG7 〜 11 を、Planet（地球）として SDG12 〜 15 を、Peace（平和）として SDG16 を、Partnership（協働）として SDG17 を紐づけるものである。

　以下、ウェディングケーキモデルに沿って、SDGs の全体像を把握する。SDGs の 17 の目標と 169 のターゲットそのものの詳細については、国連の SDGs 公式サイト[13] や関連書籍[14] を一読いただきたい。

　我々を取り巻く生態系は、生命の維持に必要な酸素や水、衣食住の確保に必要な各種資源を供給している。加えて、温度や湿度の調節、排出物の浄化など、人類の生存に必要な各種サービスを提供している。これら生態系サービスなくして、

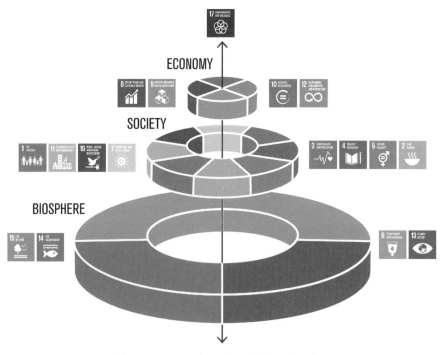

図 1-1　SDGs のウェディングケーキモデル
出典：Stockholm resilience center[15]

社会や経済は成り立たない。そのため「生態系」に関連したこれら 4 つの課題の
進捗状況は、「社会」「経済」関連の課題の進捗に大きな影響を与える。
　「生態系」目標に関連する指標として、1972 年に公表したレポート「成長の限界」
で地球環境問題の重要性を指摘したローマクラブが 1992 年に公表した「限界を
超えて」の中で提案している「持続可能な開発の原則」が参考となる。

「生態系」目標

「生態系」目標	
SDG6	安全な水とトイレを世界中に
SDG13	気候変動に具体的な対策を
SDG14	海の豊かさを守ろう
SDG15	陸の豊かさを守ろう

（1）土壌、水、森林、魚など「再生可能な資源」の持続可能な利用速度は、再生速度を超えるものであってはならない。

（2）化石燃料、良質鉱石、化石水など、「再生不可能な資源」の持続可能な利用速度は、再生可能な資源を持続可能なペースで利用することで代用できる程度を越えてはならない。

（3）「汚染物質」の持続可能な排出速度は、環境がそうした汚染物質を循環し、吸収し、無害化できる速度を上回ってはならない。

出　典："Towards Some Operational Principles of Sustainable Development," Ecological Economics 2 (1990) 1-6. And, Meadows, D. *et. al.* Beyond the Limits, Post Mills, Vermont: Chelsea Green Publishing Company, 1992. 訳文は茅陽一監訳「限界を超えて」(1995) ダイヤモンド社

　上記のうち、生態系の持続可能性について述べているのは（1）と（3）である。持続可能な開発は、政府や NGO、市民などが協業して取り組むべき課題であるが、中でも企業は、自らが持つ技術やノウハウにより、上記の原則に沿った新たな生態系管理システムの構築に大きく貢献できる。

　生態系の持続可能性を考える際に、例えば、生態系サービスの使用量をどのように把握するかが課題となる。生態系サービスの使用量を、リアルタイムで定量的に把握できれば、そのコントロールは容易になるだろう。このような使用量の把握には、企業が持つ工場の生産管理技術を応用できる可能性がある。

　実はすでに多くの企業が、生態系管理システムの構築に貢献している。例えば、地球上に存在する水資源のうち実際に生活用水として利用可能な分はごく少ないことから、上水道の維持整備は世界各地で重要な課題となっているが、水道管の漏水検知などの技術を持つ企業が、世界各地の上水道インフラ整備に貢献している。

　SDGs のうちで最も多いのが、「社会」課題である。MDGs の延長線上にある貧困問題に関するもの（SDG1、2）をはじめ、健康、福祉、教育、男女機会平等、持続可能なエネルギー、まちづくりといった幅広いテーマを含んでいる。SDG16 は、基本的人権を守り、透明性のある統治体制を維持することを意味している。

　健康に関して、住友化学のオリセットネットの取り組みが有名である。オリセットネットとは、同社の農薬事業部門と工場用防虫網戸事業部門が開発した、長

「社会」目標

「社会」目標	
SDG1	貧困をなくそう
SDG2	飢餓をゼロに
SDG3	すべての人に健康と福祉を
SDG4	質の高い教育をみんなに
SDG5	ジェンダー平等を実現しよう
SDG7	エネルギーをみんなにそしてクリーンに
SDG11	住み続けられるまちづくりを
SDG16	平和と公正をすべての人に

時間にわたって効果が持続する防虫剤処理蚊帳のことである。この蚊帳は、マラリアを媒介する蚊の屋内への侵入を長期間にわたって防止する効果を持ち、安価でもあることから、アフリカなどのマラリア汚染地域で普及が進み、罹患者の減少に大きく貢献した。また、現地生産を行うことで7,000人の新規雇用を生み出している[16]。

　前述の「持続可能な開発の原則」の（2）は、再生可能エネルギーについて述べており、木材産業関連では木質バイオマスによる熱利用および発電が該当する。その技術開発と運営にあたって木材産業の果たす役割は大きい。

「経済」目標

「経済」目標	
SDG8	働きがいも経済成長も
SDG9	産業と技術革新の基礎をつくろう
SDG10	人や国の不平等をなくそう
SDG11	つくる責任つかう責任

　SDGsにおける「経済」目標は、GDPの成長だけを追うのではなく、労働者の権利の保護、労働集約型および高付加価値型への産業構造転換、社会的・経済的格差の減少といった複数の観点を両立させることが求められている。また、環境負荷を最小限に抑えるため、大量生産、大量消費型のサプライチェーンから、資源の完全なリサイクルを目指す循環型サプライチェーン＝サーキュラーエコノミーへの転換も課題である。このような経済構造のパラダイムシフトを行うには、「生態系」目標および「社会」目標と連動し、新たな経済構造を構築するイノベーションが求められている。

　サーキュラーエコノミーの先駆的な例として、食品容器トレー製造業のエフピコが構築した使用済みトレーの循環型リサイクルシステム[17]が挙げられる。エフピコは、スーパーマーケットの店頭などに設置されている使用済みトレーを、包材問屋を経由して全国3カ所に設置した自社工場まで回収し、トレー原料として再利用する取り組み（エフピコ方式）を1990年から実施している。このような

取り組みにより、エフピコは 2017 年度において、環境対応製品の販売額 398 億円 [18)] を達成した。環境対応製品には、エフピコ方式で再利用した原材料を使用したエコトレーなどが含まれる。これは、同年度の売上高 1,736 億円 [19)] の 23％に当たることから、サーキュラーエコノミーへの取り組みが、企業経営の主軸となっていることがわかる。

　木材産業では、建築廃材を主原料としたパーティクルボードの製造工程が、サーキュラーエコノミーの一例である。

「実施手段」目標

「実施手段」目標	
SDG17	パートナシップで目的を達成しよう

他の目標と異なり、SDG17 は SDGs の他の目標を 2030 年までに達成するための手順を示している。この目標に関連するキーワードは「ステークホルダー」である。

　ステークホルダーとは、stake（杭）の holder（所有者）という 2 つの語を組み合わせてできた言葉である。ここでの杭とは、「土地の正当な所有権」を意味するが、1960 年代以降、企業に対する要求の実現を主張する個人や組織のことをステークホルダーと呼ぶようになった。

　SDGs に関するステークホルダーである企業は、政府や NGO、研究機関など他のステークホルダーと協業し、SDGs にリンクした自らの経営課題に取り組んでいく必要がある。

　企業と大学との連携は「産学連携」と呼ばれ、長い歴史を持つ。有名な例として、ノーベル生理学・医学賞を受賞した本庶佑博士の発見した免疫チェックポイント阻害因子を利用し、小野薬品工業が開発・販売しているガン治療薬「オプジーボ」が挙げられる。木材関連での産学連携の例として「セルロースナノファイバー」がある。

　国内における、企業と NGO との連携の例が少ない。しかし、最近は、NGO を SDGs 達成のためのパートナーとし、共に活動する国内企業が増えている。

1-3. 社会的責任としての ESG 投資

　ESG 投資は、1920 年代、イギリスや米国のキリスト教会がアルコール、タバコ、ギャンブルに関連する企業を投資先からはずしたことに始まる。このような信仰に基づく基準を投資戦略に用いる手法は、倫理的投資と呼ばれる [20、21)]。

倫理的投資から始まった社会的責任投資（Socially responsible investment：SRI）の潮流は、1960 年代後半、米国で大きく変化した。当時の米国は、ベトナム戦争、スリーマイル島原発事故、消費者運動や環境問題への取り組みなど、伝統的な政治、経済、社会のあり方が批判され、新たな仕組みが模索された時期であり、社会活動家が、環境および社会課題に配慮した投資活動を投資家に求めるようになった[20, 21]。

1990 年代に入ると、リオ地球サミットをきっかけに、グローバルな環境課題に対する市民の関心が一層高まった。これを受け、企業評価に環境課題への取り組みを配慮した環境配慮型投資信託が開発され、欧米では 1990 年代初頭よりエコファンドやグリーンファンドの名称で売り出された。日本国内では 1999 年に初めて設定されている[22]。

その後、アナン氏が 2006 年に提唱した責任投資原則（Principle for Responsible Investment：PRI）において SRI が再び世界で脚光を浴びるようになった。

PRI は、表 1-2 に示すように、機関投資家の意思決定過程において、受託者責任の範囲内で、環境課題、社会課題、企業統治に関する課題を反映させようとするものである。

アナン氏は、グローバル課題に対する機関投資家の役割を明示した PRI だけでなく、先述の国連グローバル・コンパクトや MDGs など、グローバルな課題解決に向け、企業を含む多くのステークホルダーが参加する新たな仕組みを提唱した、SDGs や ESG 投資に関するキーパーソンである。

PRI は法律ではないことから、その実施にあたり強制力を伴わない。しかし、PRI に賛同し署名した企業名は公表され、宣言に沿った活動内容の報告も求めら

表 1-2　PRI の 6 原則

1	ESG（環境、社会、コーポレートガバナンス）課題を投資の意思決定と分析に組み込む。
2	積極的な株主になり、ESG 課題を株主としての方針と活動に組み込む。
3	投資先企業による ESG 課題に関する適切な情報開示を求める。
4	投資業界がこれらの原則を受入れ、実践するよう促す。
5	これらの原則に当たって、効果が高まるよう相互に協力する。
6	これらの原則の実施に関する活動と進捗について報告する。

出典：水口剛『ESG 投資　新しい資本主義の形』日本経済新聞出版社、16 頁

れることから、署名した企業に対し PRI に沿った活動を行わせるモチベーションになっている。このように、SDGs や ESG 投資に関する仕組みには、法律（ハードロー）ではなく、社会的規範（ソフトロー）に当たるものが多い。ソフトローには法的拘束力はないが、違反すると当該企業に経済的または道徳的な悪影響を及ぼす[23]。

　ESG 投資は、長期的な企業価値の向上を期待する投資手法であり、その前提として、企業によるグローバルな環境および社会問題、自社のコーポレートガバナンスへの積極的な取り組みを重視するという考え方である。倫理的投資とは、長期的な企業価値の向上を重視するかどうかで異なるものの、環境および社会課題に配慮する投資手法という点で、同じ流れに位置づけられる。

1-4.ESG 課題への取り組み方法

　投資家による ESG 課題への取り組みとして最も一般的なものは、上場企業を対象とした ESG 投資である。しかし近年では、グリーンボンドや ESG 融資など、その方法が多様化していることに注意する必要がある。本節では ESG 投資と、最近、複数の日本企業により発行され、今後さらに普及が見込まれるグリーンボンドを取り上げる。

　ESG 投資の手法として、「除外」「ネガティブ・スクリーニング」「ポジティブ・スクリーニング」「インテグレーション」「サステナビリティ・テーマ投資」の 5 つが一般的である。また、投資家と投資先企業との間で行われる「エンゲージメント」と呼ばれる手法も存在する。

　除外とは、投資家が保有している株式のうち、ESG 課題に関して深刻な問題を抱える企業の株式を売却することを指す。例えば、非人道兵器の製造や販売を行っている企業が対象となる。

　ネガティブ・スクリーニングとは、ESG 課題にそぐわない経営を行っている企業を投資対象から外す行動を指す。気候変動問題に関連して石炭採掘や石炭火力発電所の運営などを行う企業を投資先として検討する対象から外す行動が代表的な例である。文献によっては、除外をネガティブ・スクリーニングに含める場合もある[24]が、本書では、除外をすでに所有している株式の売却、ネガティブ・スクリーニングを事前に特定の企業を投資対象からはずす行動を指すものとする。

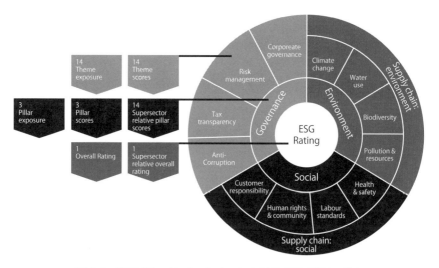

図 1-2　FTSE4Good Index Series における ESG 評価モデル
出典：FTSE4Good Index Series v3.3 p10 [25]

　ポジティブ・スクリーニングとは、ESG 課題への取り組みに関して優れた成果を挙げている企業を設定した基準によりスコア付けし、上位企業を選抜する投資行動のことである。ベスト・イン・クラスと呼ばれることもある。

　ポジティブ・スクリーニングの基準は運用会社によって異なる。図 1-2 はその一例である。

　インテグレーションとは、企業評価の指標として営業利益などの財務関連の指標と、ESG 課題への取り組みを示す非財務関連の指標の双方を同時に参照し、投資判断を行う手法である。ポジティブ・スクリーニングやネガティブ・スクリーニングでは、財務関連指標とは独立に、ESG 課題に関連する基準に沿って投資対象を取捨選択するが、インテグレーションでは、各社の財務関連指標と非財務関連指標を統合した上で総合的に評価しようとする点が異なる。

　サステナビリティ・テーマ投資とは、「気候変動」「水資源」「再生可能エネルギー」「森林資源」など ESG 課題と関係する特定のテーマを事前に設定し、それに深く関与する企業を投資対象として選定する投資手法である。

　エンゲージメントとは、投資家が、株主として企業と交渉を行うことで、環境および社会課題への解決策を共に検討していこうとする手法である。エンゲージメントにおいては、それによって達成すべき目的を投資家側が事前に定め、行われることが多い [26]。

　投資家が、ESG 課題の解決に貢献できていない企業の株式を売却してしまう除外の場合、売却をしてしまえば、投資家と当該企業とのかかわりは消滅する。投資家にとっては潜在的なリスクを排除できることになるが、その企業が直面している ESG 課題は解決されないままである。ESG 課題は、すべてのステークホルダーにとっての問題であることから、株式の売却によってその解決策をさぐる努力を放棄せず、問題を抱える企業と共に、経営戦略を ESG 課題の観点から見てより良い方向に変化させようとするエンゲージメントの動きが、最近、増えてきている。

　エンゲージメントのうち、投資家と企業との非公式の折衝、投資家による公式な意見書の提出などは「対話」と呼ばれることが多い。また、株主総会に投資家側が株主提案や、会社側の提案した議案に対して賛否を示す「議決権行使」もエンゲージメントの一種である。

　本来のエンゲージメントとは少し異なるが、木材関連企業と木材流通に関する研究者による研鑽会「木材産業における ESG」において、2019 年 3 月、国内大手運用会社の責任投資部の方々を招き、木材関連企業による ESG 課題への取り組みの現状を紹介した上で、今後のあり方を議論した。

　エンゲージメントにおいて、運用会社側から以下のコメントがあった。

エンゲージメントの様子

●ESG 投資の考え方として、リスク最小化の観点からのみ議論される傾向に
　あるが、環境や社会に関する市場ニーズの変化を捉え、素早く価値創造や市
　場創造に結びつけているか、といったリターンの観点も重要である。
●企業評価にあたっての重点確認事項：
・ESG 活動が経営の中核に位置づけられているか？
・ESG 関連の活動が費用ではなく投資と認識されているか？
・法令順守のレベルではなく新たな挑戦のための自主的な取り組みとなってい
　るか？
●対話を行う企業の選定基準：
・ESG 課題への取り組みに関して改善余地の大きい企業
・ESG 課題への取り組みが進んでいる企業
・業界への影響が大きいトップ企業

　同社は、企業とのエンゲージメントにおいて、各企業の経営戦略＝価値創造ス
トーリーが、実際の行動と一致しているかどうかを最も重視している。このよう
に運用会社の関心は、環境および社会課題への対応を柱とした経営戦略によって、
その企業が長期的にどのような価値を生み出せるのかという点にある。企業に慈
善活動を期待しているわけではない。
　ESG 投資の現状は、表 1-3 に示すように、2018 年末時点で約 30.6 兆ドル（約 3,400
兆円）であった。欧州での投資額が最も多いが、2 年前と比較するとすべての地
域で ESG 投資額は増えている。最も増加率が大きいのは日本であり、2 年前の 4
倍に増えている。

表 1-3　世界における ESG 投資

（単位：10 億 US ドル）	2016 年	2018 年
欧州	12,040	14,075
米国	8,723	11,995
日本	474	2,180
カナダ	1,086	1,699
オーストラリア／ニュージーランド	516	734
合計	22,890	30,683

出典：GSIA 2018 Global Sustainable Investment Review

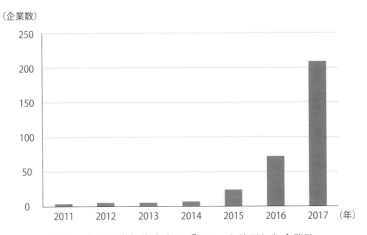

（企業数）

図 1-3　有価証券報告書内で「ESG」を使用した企業数
出典：EOL データベース（全 3,995 社）

　国内上場企業は、金融庁に対し、各事業年度終了後に有価証券報告書の提出を行うことが義務づけられている。図 1-3 は、有価証券報告書内で単語「ESG」が 1 つ以上使われている企業数を示している。2014 年までは ESG 課題に言及する企業はほとんどなかったが、2015 年以降増加し、2017 年には 200 社を超える企業が何らかの形で ESG 課題に言及していることが明らかになっている。

　表 1-4 に示すように、日本国内の ESG 投資額は、2017 年 9 月時点で 137 兆円となり、1 年間で 2.4 倍と大きく成長した。投資手法としては、対話が 88 兆円で最も大きい [27]。

　投資家の投資対象は株式だけではない。国債や社債といった債券も投資対象である。ESG 課題と深くかかわる債券として、近年注目を浴びているものに、グリー

表 1-4　日本における ESG 投資の成長

	第 1 回	第 2 回	第 3 回
調査実施時期	2015 年 11 〜 12 月	2016 年 9 〜 10 月	2017 年 9 月
回答数 （うちサステナブル投資残高の回答数）	28（24）	34（31）	34（32）
サステナブル投資合計額	26 兆 6,872 億円	56 兆 2,566 億円	136 兆 5,959 億円
総運用資産残高に占める割合	11.4%	16.8%	35.0%
集計の時点	任意	2016 年 3 月末	2017 年 3 月末

出典：日本サステナブル投資白書 2017

ンボンドがある。これは「調達資金の使途を環境改善効果のある事業＝グリーンプロジェクトに限定して発行される債券」[28] のことである。

　通常の債券と比較したグリーンボンドのメリットについては議論があるが、発行体企業が実施する ESG 課題への取り組みの PR、普通社債の購入者とは異なる新たな購入者を発見できる可能性[29] などが指摘されている。

　2019 年 1 月〜6 月のグリーンボンド発行額は、世界で 1,000 億ドルを超える規模に成長している[30]。国内でも、トヨタファイナンスが同年 4 月に 600 億円のグリーンボンドを発行[31] するなど、市場は拡大を続けている。

　グリーンボンドは、インパクト投資の一種として認識されるケースもある。インパクト投資とは、社会や環境をよくする変革（インパクト）を起こすための商品やサービス事業そのものに対する投資手法を意味する[32]。環境および社会的リスクの軽減よりも、新たな変革を起こすことに着目している[32]。

　国内の木材関連企業によるグリーンボンドの発行事例も増えている。例えば、大王製紙は、2018 年 10 月に難処理古紙の有効活用に関する設備および黒液を燃料とするバイオマスボイラーによる発電設備の建設資金として、グリーンボンドで 200 億円を調達した[33]。本グリーンボンドの購入者には地方の信用金庫や信用組合が含まれており、同社にとって、新たな投資家の獲得にもつながっている[34]。

1-5. サステナビリティ報告の開示フレームワーク

1-5-1. 企業のサステナビリティ活動とコーポレートブランド

　企業は、SDGs や ESG 課題といったサステナビリティに関連する取り組みの開示を積極的に行うことで、コーポレートブランドイメージの向上にもつなげることができる。

　日経 BP 社が 560 のコーポレートブランドを対象に行っている「環境ブランド調査 2019」の結果[35] によると、一般消費者やビジネスパーソンが環境に関する活動を積極的に行っているとイメージするコーポレートブランドとして挙げた上位 10 社のうち 7 社が、CDP 気候変動の A スコアを獲得している。SDGs や ESG 課題に積極的に取り組むことが、コーポレートブランドの強化につながる時代となっている。

木材関連企業では、上位 100 社に住友林業と積水ハウスの 2 社がランクインしている。なかでも住友林業は、具体的なコーポレートブランドイメージとして「地球温暖化防止に努めている」「省資源に努めている」「自然保護に力を入れている」「生物多様性や動植物資源の保全に努めている」といったプラスイメージを想起させる企業としてそれぞれ上位 15 位以内にランクインしている。同社が、ESG 課題への取り組みを積極的に行っていること、また、その成果の公表を積極的に行っていることが窺われる。

コーポレートブランドの強化は、新卒または中途採用の後押しにもなる。東京大学 TSCP 学生委員会 36) の調査によると、就職先を選ぶ際に企業の SDGs 貢献度を参考にすると答えた学生が、回答した東大生の半数以上 37) となったことが明らかになった。

このように、企業にとっては、SDGs や ESG 課題に対する取り組みだけでなく、成果の開示戦略も、企業価値向上にとって無視できない要素となりつつある。一般的にこのような取り組みの開示は、財務情報と非財務情報を統合した統合報告書やサステナビリティ報告書として行われる。

ここでの課題は、企業にとって不都合な情報も含め、どのようなフレームワークで情報開示を行うかである。また、投資家としては、同じフレームワークに基づいた企業からの情報提供が望ましい。

1-5-2. GRI

サステナビリティ報告のフレームワークに最も大きな影響を与えているイニシアチブに、グローバル・レポーティング・イニシアチブ（GRI）がある。

GRI は、1996 年に経済の持続可能性を高めることを目的に設立された非営利団体である。GRI は、企業活動による、経済、環境、社会へのインパクトをステークホルダーに示すサステナビリティ報告書のフレームワークの提案と普及に取り組んでいる。GRI による報告フレームワーク「GRI スタンダード 2016」は、36 の GRI スタンダードと用語集で構成されている。表 1-5 に示すように、スタンダードは、共通スタンダード、経済に関するスタンダード、環境に関するスタンダード、社会に関するスタンダードに大別される。

表 1-5　GRI スタンダード

共通スタンダード	GRI101	基礎
	GRI102	一般開示事項
	GRI103	マネジメント手法
経済に関するスタンダード	GRI201	経済パフォーマンス
	GRI202	地域経済での存在感
	GRI203	間接的な経済的インパクト
	GRI204	調達慣行
	GRI205	腐敗防止
	GRI206	反競争的行為
環境に関するスタンダード	GRI301	原材料
	GRI302	エネルギー
	GRI303	水と廃水
	GRI304	生物多様性
	GRI305	大気への排出
	GRI306	廃水および廃棄物
	GRI307	環境コンプライアンス
	GRI308	サプライヤーの環境面のアセスメント
社会に関するスタンダード	GRI401	雇用
	GRI402	労使関係
	GRI403	労働安全衛生
	GRI404	研修と教育
	GRI405	ダイバーシティと機会均等
	GRI406	非差別
	GRI407	結社の自由と団体交渉
	GRI408	児童労働
	GRI409	強制労働
	GRI410	保安慣行
	GRI411	先住民族の権利
	GRI412	人権アセスメント
	GRI413	地域コミュニティ
	GRI414	サプライヤーの社会面のアセスメント
	GRI415	公共政策
	GRI416	顧客の安全衛生
	GRI417	マーケティングとラベリング
	GRI418	顧客プライバシー
	GRI419	社会経済面のコンプライアンス

出典：GRI スタンダード

1-5-3. IIRC

　GRI は、英国のチャールズ皇太子が設立した Accounting for Sustainability と共に、2010 年 7 月、国際統合報告評議会（International Integrated Reporting Council：IIRC）を設立した。IIRC 設立の目的は、①リーマンショックのような事態を 2 度と引き起こさない、②金融・資本市場の短期志向の是正を図る、③企業・社会・環境の持続可能性に関する企業報告のあり方を検討する、の 3 点[38] である。

　IIRC は統合報告書のフレームワークを提案している。IIRC は統合報告書を、企業を含む「組織がどのように長期にわたり価値を創造するかについて説明する」[39] ものと定めており、企業による価値創造プロセスのあり方を重視している。

　図 1-4 は、IIRC が想定する価値創造プロセスの概念図である。財務資本、製造資本、知的資本、人的資本、社会・関係資本、自然資本の 6 つのインプットから価値を創造し、アウトカムを社会へ提供する流れを示している。

　IIRC が提案するフレームワークは、全般的な内容を統括する指導原則と内容要素で構成されている[40]。

　指導原則として、A. 戦略的焦点と将来志向、B. 情報の結合性、C. ステークホルダーとの関係性、D. 重要性、E. 簡潔性、F. 信頼性と完全性、G. 首尾一貫性と

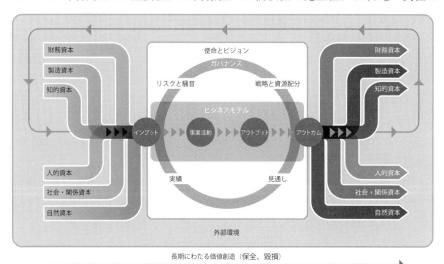

図 1-4　統合報告書で記載される価値創造プロセスの概念
出典：[39] p15

比較可能性、が規定されている。ここで情報の結合性とは、組織の長期にわたる価値創造能力に影響を与える要因の組み合わせ、相互関連性、および相互関係の全体像を示すことを、重要性とは、組織の価値創造能力に実質的な影響を与える事象に関する情報を開示することを意味する。また、信頼性と完全性とは、重要性のあるすべての事象を、正と負の両面につきバランスのとれた方法によって、重要な誤りがない形で統合報告書に記載されることを指す。

　内容要素として、A. 組織概要と外部環境、B. ガバナンス、C. ビジネスモデル、D. リスクと機会、E. 戦略と資源配分、F. 実績、G. 見通し、H. 作成と表示の基礎、I. 一般報告ガイダンス、が規定されている。内容要素の記述を通して、企業の価値創造プロセスがステークホルダーに明確に伝わることが意図されている。

1-5-4. 価値協創ガイダンス

　日本国内では、コーポレートガバナンス改革の側面から、統合報告のフレームワークが議論されている。経済産業省は、国内企業の統合報告開示指針として 2017 年 5 月に「価値協創のための統合的開示・対話ガイダンス」[41] を公表し、普及に努めている。

　価値協創ガイダンスは、図 1-5 に示すように、1. 価値観、2. ビジネスモデル、3. 持続可能性・成長性、4. 戦略、5. 成果と重要な成果指標、6. ガバナンス、の 6 つの要素で構成されている。これらは、IIRC の統合報告フレームワークの内容要素と類似している。

　このように、現在、内容が重複する複数の統合報告開示フレームワークが存在している。そのため、企業はそれらの対応に多くの時間と労力を割かざるを得ない。加えて、気候関連金融情報開示タスクフォース（TCFD）による気候関連情報の開示提案など、企業の負担はさらに増える傾向にある。

　一方、企業にとってサステナビリティに関する情報開示は、その方法次第で、競合他社との差別化可能なツールとなり得る。木材関連企業は、統合報告やサステナビリティ報告を、価値創造に関する自社の強みをステークホルダーにアピールする重要なツールと認識し、今まで以上に積極的に取り組むべきである。

（長坂健司）

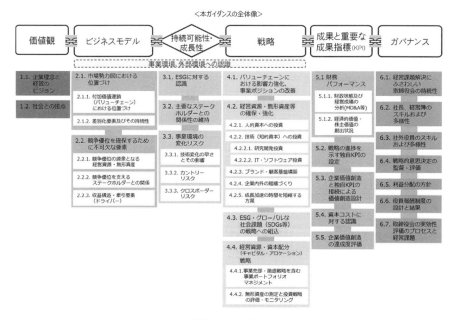

＜本ガイダンスの全体像＞

| 価値観 | ビジネスモデル | 持続可能性・成長性 | 戦略 | 成果と重要な成果指標(KPI) | ガバナンス |

事業環境、外部環境への認識

1.1. 企業理念と経営のビジョン	2.1. 市場勢力図における位置づけ	3.1. ESGに対する認識	4.1. バリューチェーンにおける影響力強化、事業ポジションの改善	5.1 財務パフォーマンス	6.1. 経営課題解決にふさわしい取締役会の持続性
1.2. 社会との接点	2.1.1. 付加価値連鎖（バリューチェーン）における位置づけ	3.2. 主要なステークホルダーとの関係性の維持	4.2. 経営資源・無形資産等の確保・強化	5.1.1. 財政状態及び経営成績の分析(MD&A等)	6.2. 社長・経営陣のスキルおよび多様性
	2.1.2. 差別化要素及びその持続性	3.3. 事業環境の変化リスク	4.2.1. 人的資本への投資	5.1.2. 経済的価値・株主価値の創出状況	6.3. 社外役員のスキルおよび多様性
	2.2. 競争優位を確保するために不可欠な要素	3.3.1. 技術変化の早さとその影響	4.2.2. 技術（知的資本）への投資	5.2. 戦略の進捗を示す独自KPIの設定	6.4. 戦略的意思決定の監督・評価
	2.2.1. 競争優位の源泉となる経営資源・無形資産	3.3.2. カントリーリスク	4.2.2.1. 研究開発投資	5.3. 企業価値創造と独自KPIの接続による価値創造設計	6.5. 利益分配の方針
	2.2.2. 競争優位を支えるステークホルダーとの関係	3.3.3. クロスボーダーリスク	4.2.2.2. IT・ソフトウェア投資	5.4. 資本コストに対する認識	6.6. 役員報酬制度の設計と結果
	2.2.3. 収益構造・費収要素（ドライバー）		4.2.3. ブランド・顧客基盤構築	5.5. 企業価値創造の達成度評価	6.7. 取締役会の実効性評価のプロセスと経営課題
			4.2.4. 企業内外の組織づくり		
			4.2.5. 成長加速の時間を短縮する方策		
			4.3. ESG・グローバルな社会課題（SDGs等）の戦略への組込		
			4.4. 経営資源・資本配分（キャピタル・アロケーション）戦略		
			4.4.1. 事業売却・撤退戦略を含む事業ポートフォリオマネジメント		
			4.4.2. 無形資産の測定と投資戦略の評価・モニタリング		

図 1-5　価値協創ガイダンスの全体像
出典：[41]

注

1 ） https://www.japantimes.co.jp/news/2019/05/25/world/science-health-world/swedens-greta-thunberg-demands-climate-action-day-global-school-strikes/

2 ） https://theoceancleanup.com/

3 ） https://www.nhk.or.jp/docudocu/program/2443/3115590/index.html

4 ） https://www.unic.or.jp/news_press/features_backgrounders/31737/

5 ） http://www.nichinoken.co.jp/opinion/pdf/cfr/sdgs/book_sdgs2018.pdf

6 ） http://www.ungcjn.org/gc/index.html

7 ） http://www.ungcjn.org/gc/principles/index.html

8 ） https://www.cdp.net/ja/info/about-us

9 ） CDP 気候変動レポート 2018：日本版

10） https://www.sustaina.org/ja/links/re100/

11） https://www.stockholmresilience.org/research/research-news/2016-06-14-how-food-connects-all-the-sdgs.html

12） 笹谷秀光「持続可能性新時代におけるグローバル競争戦略 – SDGs 活用による新

たな価値創造―株式会社伊藤園、https://www.zen-noh-ren.or.jp/wp/wp-content/
uploads/2019/06/a9e8a083ce02a9698f558a53fd5ca895.pdf

13）https://www.un.org/sustainabledevelopment/sustainable-development-goals/

14）例えば、沖大幹、小野田真二、黒田かをり、笹谷秀光、佐藤真久、吉田哲郎「SDGs
の基礎」事業構想大学院大学

15）https://www.stockholmresilience.org/images/18.36c25848153d54bdba33ec
9b/1465905797608/sdgs-food-azote.jpg

16）https://www.cao.go.jp/noguchisho/info/mrmizunointerview.html

17）https://www.fpco.jp/esg/environmenteffort/fpco_recycle/

18）https://www.fpco.jp/esg/esg_data/environment_data.html

19）https://www.fpco.jp/ir/achieve.html

20）木村富美子（2008）日本の社会的責任投資（SRI）の特徴と今後の展開、通信教育
部論集第 11 号 p1-19

21）Sparkes, R., Cowton, C.J., The Maturing of Socially Responsible Investment: A
Review of the Developing Link with Corporate Social Responsibility, Journal of
Business Ethics 52, 45-57, 2004.

22）環境省「社会的責任ファンド及び環境配慮企業の株価動向調査報告書」平成 17 年
6 月　https://www.env.go.jp/policy/kinyu/rep_h1706.pdf

23）黒田一賢「ビジネスパーソンのための ESG の教科書」日経 BP 社 143 頁

24）http://www.pp.u-tokyo.ac.jp/wp-content/uploads/2016/09/GraSPP-DP-J-19-001.pdf

25）https://research.ftserussell.com/products/downloads/FTSE4Good_Index_Series.
pdf

26）水口剛「ESG 投資　新しい資本主義の形」日本経済新聞出版社 48 頁

27）日本サステナブル投資白書 2017

28）グリーンボンドガイドライン 2017 年版 平成 29 年 3 月 環境省

29）ステファン・マルセル氏インタビュー記事、日経 ESG 7 月号 p38-41

30）日本経済新聞電子版「世界の環境債発行、初の 1000 億ドル強」2019 年 7 月 13 日

31）同上

32）マット・クリステンセン「ESG の最先端を行くインパクト投資」『ESG 投資の研究』
一灯社 231-246 頁

33）http://greenbondplatform.env.go.jp/greenbond/list/j28.html

34）大王製紙株式会社経営管理本部財務部「大王製紙グリーンボンドの概要と発行まで

の経緯について」説明資料、2019 年 3 月 1 日

35）日経 ESG 8 月号 41 頁

36）東京大学サステイナブルキャンパスプロジェクト（TSCP）を推進する学内組織

37）TSCP 学生委員会「東大生の SDGs 意識調査 2018」結果報告書、10 頁

38）大西淳也，梅田宙「統合報告についての論点の整理」PRI Discussion Paper Series，No.18 A11，財務省財務総合政策研究所，2018 年 10 月

39）IIRC「国際統合報告フレームワーク日本語訳」IIRC，2014 年 3 月

40）同上

41）経済産業省「価値協創のための統合的開示・対話ガイダンス― ESG・非財務情報と無形資産投資―（価値協創ガイダンス）」2017 年 5 月 29 日

第2章

木材産業のあるべき姿と現状の理解

はじめに

　本章では、前章で理解した SDGs や ESG 投資の潮流を踏まえ、木材産業のあるべき姿を具体化した上で、木材産業が直面する現状を明らかにする。木材産業のあるべき姿と現実を正しく把握することが、次章で議論する木材産業が取り組むべき ESG 課題をより明確に理解することにつながる。なお、この本における木材産業とは、素材生産、木材の流通・加工・販売など木材に関わる川上から川下までの産業を想定している。

　ESG 課題を事業戦略に取り込まなければならない企業は、上場会社や大企業であり非上場会社や中小規模の企業には関係ない投資の潮流であると考える読者諸氏もいるかもしれない。確かに日本の木材産業を見渡す限り、多くは非上場会社や中小企業である。林業経営体に至っては小規模な家族経営体がほとんどであり、ESG 投資とは縁遠いと思われるかもしれない。しかし、SDGs や ESG 投資の潮流は木材産業すべてに影響が波及すると著者は確信している。以下に 2 つの根拠を挙げる。

　1 つ目は、サプライチェーンを通じた波及である。ESG 投資が浸透することで、例えば、違法伐採でないと証明された木材や持続可能な森林管理がなされた木材を使用していることを統合報告書で強調する必要に迫られるので、必然的に、サプライチェーンを通じて木材を伐採する現場まで森林認証材の需要が波及する、というものである。

　2 つ目は、金融を通じた波及である。特に、プライベート・エクイティ[1] ファンドを経由するものと金融機関からの貸付を経由するものが重要である。プライベート・エクイティファンドの場合、非上場企業の事業継承など、企業買収や合併を支援することになるが、そのファンドの出資者が年金基金などのユニバーサルオーナー[2] である場合、企業買収や合併、あるいは出資等の資金注入の可否判断に ESG 課題への取り組み度合いが影響を与える場合がある。金融機関の場合、2019 年に正式発足した国連責任銀行原則（PRB：Principles for Responsible Banking）では、日本のメガバンクなど 4 社が署名しており、同様の影響が考えられる。

　こうした時代の潮流を踏まえ、持続可能な社会を協創するために、木材産業が着目すべき経営課題とはなにか、採用すべき経営戦略とはなにかを検討する材料を本章で提供したい。

2-1. 木材産業のあるべき姿

ソビエト連邦の崩壊、東西ドイツの統一で、第2次世界大戦後の東西冷戦は終結し、世界秩序は不安定化、不確実性を増している。こうした状況を Volatility（変動性・不安定さ）、Uncertainty（不確実性・不確定さ）、Complexity（複雑性）、Ambiguity（曖昧性・不明確さ）という4つのキーワードの頭文字をとって VUCA（ヴーカ）と呼び、木材産業だけでなくあらゆる産業の経営環境や個人のキャリアを取り巻く状況となっている。

こうした時代は、現状からの延長線である BAU（Business as Usual：成り行き）によって経営目標を定めるのではなく、明確な目標を定め、今何をすべきかを明らかにする、バックキャスティングの発想が必要である。SDGs や ESG 課題は、あらゆる企業、行政、人びとが、持続可能な社会を実現していくために行動を変えていくうえで、あるべき姿を提示している世界で合意した共通目標であり、木材産業のすべての関係主体は、他企業と同様に、SDGs の達成や ESG 課題の解決にビジネスを通じて貢献することが求められている。しかも SDGs は森林資源の持続可能な管理・利用や、森林資源に依存する地域コミュニティの貧困問題にも密接にかかわるため、木材産業に属する各社は自らの事業戦略の組み立て方を誤ると、ダイベストメント、社会的批判、ひいては自社ビジネスの存続にかかわる問題に発展しかねないリスクを負っている。

ここでは、木材産業を取り巻くパラダイムを踏まえ、第1章の図 1-1 で示した SDGs のウエディングケーキモデルで階層構造をなす生物圏、社会、経済のそれぞれに対し、木材産業に特にかかわりを持つ SDGs の目標・ターゲットを深掘りし、バックキャスティングで木材産業や個別事業体の経営課題設定、経営戦略の策定や事業実践につなげられるよう以下で説明する。

2-1-1. 木材産業を取り巻くパラダイム

地球環境問題や持続可能な開発に光を当てたレポートの1つに、ローマクラブ「成長の限界」がある。このレポートが発表された 1972 年時点で、すでに地球環境問題が人類社会すべてにかかわる根源的な課題として取り上げられている。遅くてもそれ以降、木材産業は、常に森林資源の持続可能な利用や、生計を森林資源に依存する世帯・コミュニティに対する配慮が求められてきたはずである。

しかし、こうした問題を木材産業各社が経営課題として認識し、事業戦略とし

て位置づけられるようになったのは、PRI が普及し、ESG 投資や SDGs に関連する取り組みが盛んになってからであろう。この意味で、木材産業を取り巻くパラダイムは本質的に不変であるが、地球温暖化問題がより切迫した課題として世界的に認識されるようになった点、SDGs の達成や ESG 課題の解決を事業として正面から取り組み、事業を成功させている企業が競争優位になりつつあるという点で、質的な変化がみられる。以下では、パリ協定、違法伐採対策、森林認証に焦点を当て、木材業界を取り巻くパラダイムの一面を説明したい。

　1 つ目のパラダイムは、パリ協定である。京都議定書の後継となるもので、2015 年にパリで開かれた「第 21 回国連気候変動枠組条約締約国会議（COP21）」で採択され、2020 年以降の温暖化対策を定めているものである。1997 年に採択された京都議定書は、先進国のみに排出削減義務を負わせたが、パリ協定は、すべての国が気候変動対策の行動をとることを義務づけた歴史上初めての合意である。SDGs の達成と合わせて、すべてのステークホルダーが温室効果ガスの削減に取り組まなければならない。

　2 つ目のパラダイムは、違法伐採対策である。世界各国の違法伐採対策に関する制度を見ると、米国では 2008 年に改正レイシー法施行、EU では 2013 年にEU 木材規則（EUTR）施行、オーストラリアでは 2014 年に違法伐採禁止法施行、韓国では 2012 年に木材の持続可能な利用に関する法律導入、インドネシアでは2016 年から輸入木材にデューデリジェンスの義務化など、規制強化が進められている。日本でも、2016 年にクリーンウッド法が制定され、木材産業各社は伐

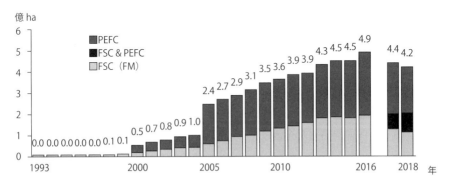

図 2-1　FSC および PEFC による森林認証面積

出典：FSC、PEFC の Web 公表資料より作成

　注：FSC（FM）と PEFC が重複する面積の調査は 2017 年より開始された。そのため、2016
　　　年までの認証面積は、重複する面積が二重に計上されている。

採木材の合法性確認が必須となった。今後、木材取引は、国内外を問わずますます規制強化されることが予想される。これに対応し、木材のトレーサビリティを確保する必要性・重要性も増している。

　3つ目のパラダイムは、森林認証である。前出の違法伐採対策では、法規制に照らし木材の取引を制限するものであるが、森林認証は、こうした違法伐採木材の取引を防ぐだけでなく、持続可能な森林資源管理のもとで伐採した木材であることを証明できる。そして、環境に配慮した木材を調達したい消費者の需要を取り込め、SDGs の目標に貢献できる。

　国際的な森林認証制度として、FSC と PEFC が存在する。これらの認証を取得した森林面積は、2018 年に 4.2 億 ha となった（図 2-1）。現在、世界の森林の1 割がこれらの認証森林となっている。ESG 投資が浸透するなかで、持続可能な森林資源を調達することが企業の経営戦略に位置づけられるようになり、調達基準が比較的容易に策定しやすい認証された森林からの木材に対する需要が高まっていることをこの事実は裏づけている。

　もちろん、林業経営者は、こうした認証を取得できるだけの人的、金銭的リソースを負担しなければならないことから、認証された森林の拡大はいずれ頭打ちになる可能性が高い。しかしながら、世界の森林の1 割超が、わずか二十数年の間に森林認証を取得した事実は、重く受け止めるべきである。

2-1-2. 生物圏：持続可能な森林資源調達を実現すること

　まず、生物圏のターゲットを表 2-1 にまとめた。目標 6 と 15 が当てはまり、森林生態系の保護・回復、森林の持続可能な管理、森林破壊の阻止、森林回復、保護種の違法取引の撲滅、が主要な内容である。問題を抱えた木材を取引しないような監視体制を確立し、その監視コストは、消費者の賛同を得られるような水準に抑える必要があろう。

　SDGs の目標 15 は、木材産業に最もかかわりのある目標である。ここが達成できるような経営戦略がなければ、産業の主役である木材は調達できなくなり、産業が廃れてしまうからである。それゆえ、調達される木材が、森林成長量を上回らない量で調達されなければならないこと、皆伐した場合は、新植が必須であることや、伐採木は、法令を遵守し、かつ、成長量を上回らない伐採となっていることを第三者により証明されることが望まれる。なぜなら、森林資源の持続性を担保することに加え、持続可能な森林資源を調達している証明の需要が年々高

表 2-1　木材産業がかかわりを持つ生物圏の目標とターゲット

目標 ターゲット		内容
6		**すべての人々に水と衛生へのアクセスと持続可能な管理を確保する**
	6.6	2020 年までに、山地、森林、湿地、河川、帯水層、湖沼などの水に関連する生態系の保護・回復を行う。
15		**陸上生態系の保護、回復および持続可能な利用の推進、森林の持続可能な管理、砂漠化への対処、土地劣化の阻止および逆転、ならびに生物多様性損失の阻止を図る**
	15.1	2020 年までに、国際協定の下での義務に則って、森林、湿地、山地、および乾燥地をはじめとする陸域生態系と内陸淡水生態系およびそれらのサービスの保全、回復および持続可能な利用を確保する。
	15.2	2020 年までに、あらゆる種類の森林の持続可能な管理の実施を促進し、森林破壊を阻止し、劣化した森林を回復し、世界全体で植林と森林再生を大幅に増加させる。
	15.3	2030 年までに砂漠化に対処し、砂漠化、干ばつ、および洪水の影響を受けた土地などの劣化した土地と土壌を再生し、土地劣化ニュートラルな世界の達成に尽力する。
	15.4	2030 年までに生物多様性を含む山地生態系の保全を確保し、持続可能な開発にとって不可欠な便益をもたらす能力を強化する。
	15.5	自然生息地の劣化を抑制し、生物多様性の損失を阻止し、2020 年までに絶滅危惧種を保護および絶滅防止するための緊急かつ重要な対策を講じる。
	15.6	国際合意に従って遺伝資源の活用による便宜を公正かつ公平に共有できるよう推進するとともに、遺伝資源への適切なアクセスを推進する。
	15.7	保護の対象となっている動植物種の密漁および違法な取引を撲滅するための緊急対策を講じ、違法な野生生物製品の需要・供給に対処する。
	15.8	2020 年までに、侵略的外来種の移入を防止し、これによる陸・海洋生態系への影響を大幅に減少させる。対策優先種の駆除または排除を行うための対策を導入する。
	15.9	2020 年までに、生態系と生物多様性の価値を、国家・地域の計画策定、開発プロセスおよび貧困軽減戦略、ならびに会計に組み込む。
	15.a	生物多様性と生態系の保全と持続的な利用のために、あらゆる供給源からの資金の動員および大幅な増加を行う。
	15.b	あらゆるレベルにおいてあらゆる供給源から多大な資源を動員して持続可能な森林管理の資金を調達する。また、開発途上国に対して適切なインセンティブを提供し、保全や森林再生などの持続的な森林管理の向上を図る。
	15.c	地域コミュニティの能力向上を通じた持続的な生計機会の追及などにより、保護種の密漁および違法な取引を撲滅するための取り組みに対する世界的支援を強化する。

出典：グローバル・コンパクト・ネットワーク・ジャパン Web より作成
注：木材産業が特に経営課題の抽出、経営戦略の策定で注目すべき点と筆者が考えた部分に下線を施した。

まっているからである。

　また、森林土壌の保全も極めて重要である。水源涵養機能の保全はもちろんのこと、土壌流出を抑え、洪水や土砂災害のリスクを軽減する意味でも、森林の生態系保全に配慮した経営戦略は必須である。

　さらに、発展途上国の農山村における重要な生計維持基盤である NTFPs（non-timber forest products：特用林産物。キノコ、山菜、ベリー類、狩猟などが該当する）の採取にあたっては、生態系による回復力を損なわない範囲としなければならない。

　なお、目標 13 は気候変動対策に関する目標だが、紐づけられたターゲットは直接的には国の施策、国際間の取り決めに関するものである。木材産業各社は、本業である木材利用の促進を通し、この目標達成に貢献可能である。

2-1-3. 社会：持続可能な農山村社会の存立に貢献すること

　次に、社会のターゲットを表 2-2 にまとめた。目標 5、7、11 が当てはまり、女性を差別的に扱わないこと、技術を活用して女性の活躍を後押しすること、持続可能なエネルギーの普及に貢献すること、持続可能な都市化、居住計画、公共スペースへの普遍的アクセス、地域間の良好なつながり支援、後発開発国における持続可能かつレジリエントな建造物の整備支援が主な内容である。日本の木材産業は就業者に占める男性の割合が高く、2015 年の林業従事者であれば94.0％、木・紙製品製造・検品従事者で 77.0％である。性別、年齢、経歴の異なる人材が議論することで、事業にイノベーションがもたらされる可能性もあるため、これらの従事者における女性比率の上昇は検討すべきであろう。

　また、一見すると、持続可能な都市化への取り組みは距離感があるかもしれないが、木材を使った構造物を都市空間に配置し、木材を使って内外装をデザインすることができるのも木材産業である。木材を使って実現する都市空間、居住空間に取り組むことは、森林文化の定着につながり、木材産業自体の価値を一段と高められる。

　さらに、SDGs および ESG 課題との関係性を考えるうえで、木材産業は、農山村社会との共存共栄を念頭に置いた事業計画を策定することが求められる。なお、都市－農村住民の交流といった活動も森林への関心を高める上で重要であるが、産業として成り立つ森林管理を実現するためには、一定の効率性、採算性、実現可能性を考慮する必要がある。

表 2-2　木材産業がかかわりを持つ社会の目標とターゲット

目標 ターゲット		内容
5		**ジェンダーの平等を達成し、すべての女性と女児のエンパワーメントを図る**
	5.1	あらゆる場所におけるすべての女性および女子に対するあらゆる形態の差別を撤廃する。
	5.b	女性のエンパワーメント促進のため、ICT をはじめとする実現技術の活用を強化する。
7		**すべての人々に手ごろで信頼でき、持続可能かつ近代的なエネルギーへのアクセスを確保する**
	7.1	2030 年までに、安価かつ信頼できる現実的エネルギーサービスへの普遍的アクセスを確保する。
	7.2	2030 年までに、世界のエネルギーミックスにおける再生可能エネルギーの割合を大幅に拡大させる。
	7.3	2030 年までに、世界全体のエネルギー効率の改善率を倍増させる。
11		**都市と人間の居住地を包摂的、安全、レジリエントかつ持続可能にする**
	11.3	2030 年までに、包摂的かつ持続可能な都市化を促進し、すべての国々の参加型、包摂的かつ持続可能な人間居住計画・管理の能力を強化する。
	11.7	2030 年までに、女性・子ども、高齢者および障害者を含め、人々に安全で包摂的かつ利用が容易な緑地や公共スペースへの普遍的アクセスを提供する。
	11.a	各国・地球規模の開発計画の強化を通じて、経済、社会、環境面における都市部、都市周辺部、および農村部間の良好なつながりを支援する。
	11.c	財政および技術的支援などを通じて、後発開発途上国における現地の資材を用いた、持続可能かつレジリエントな建造物の整備を支援する。

出典：グローバル・コンパクト・ネットワーク・ジャパン Web より作成

注：木材産業が特に経営課題の抽出、経営戦略の策定で注目すべき点と筆者が考えた部分に下線を施した。

　木材産業が農山村社会と共存を図る必要性は、例えば、次に挙げる 2 点から納得できるだろう。近年、日本国内でも発生している無断伐採の要因の 1 つが、農山村社会の衰退により「監視体制の欠如」（御田 *et al.*, 2019）がもたらされていることである。相続登記の未実施や山林に対する所有者の関心の低さとともに、山林所有者が自らの所有地に足を踏み入れることがなくなる等、集落住民による監視機能が失われたことにより、無断伐採が引き起こされやすい環境となってしまっているのである。

　2 つ目は、農山村における人口減少や無住化が、森林へのアクセスを可能にする道路などの維持管理そのものを後退させかねないことである。ひとたび、橋梁や道路の補修を先送りすれば、将来、大規模な修繕なしには利用できなくなり、

表 2-3　木材産業がかかわりを持つ経済の目標とターゲット

目標 ターゲット		内容
8		**すべての人々のための持続的、包摂的かつ持続可能な経済成長、生産的な完全雇用およびディーセント・ワークを推進する**
	8.2	高付加価値セクターや労働集約型セクターに重点を置くことなどにより、多様化、技術向上およびイノベーションを通じた高いレベルの経済生産性を達成する。
	8.3	生産活動や適切な雇用創出、起業、創造性、およびイノベーションを支援する開発重視型の政策を促進するとともに、金融サービスへのアクセス改善などを通じて中小零細企業の設立や成長を奨励する。
	8.4	2030 年までに、世界の消費と生産における資源効率を漸進的に改善させ、先進国主導の下、持続可能な消費と生産に関する 10 カ年計画枠組みに従い、経済成長と環境悪化の分断を図る。
	8.5	2030 年までに、若者や障害者を含むすべての男性および女性の、完全かつ生産的な雇用およびディーセント・ワーク、ならびに同一労働同一賃金を達成する。
	8.6	2020 年までに、就労、就学、職業訓練のいずれも行っていない若者の割合を大幅に減らす。
12		**持続可能な消費と生産のパターンを確保する**
	12.2	2030 年までに天然資源の持続可能な管理および効率的な利用を達成する。
	12.4	2020 年までに、合意された国際的な枠組みに従い、製品ライフサイクルを通じて化学物質やすべての廃棄物の環境に配慮した管理を達成し、大気、水、土壌への排出を大幅に削減することにより、ヒトの健康や環境への悪影響を最小限に留める。
	12.5	2030 年までに、予防、削減、リサイクル、および再利用（リユース）により廃棄物の排出量を大幅に削減する。
	12.7	国内の政策や優先事項に従って持続可能な公共調達の慣行を促進する。
	12.8	2030 年までに、あらゆる場所の人々が持続可能な開発および自然と調和したライフサイクルに関する情報と意識を持つようにする。

出典：グローバル・コンパクト・ネットワーク・ジャパン Web より作成
注：木材産業が特に経営課題の抽出、経営戦略の策定で注目すべき点と筆者が考えた部分に下線を施した。

森林へのアクセスはさらに難しくなる。木材産業の今後のあるべき姿の1つとして、持続可能な森林経営を実現し、農山村社会を存立させ続けるための支援実施も挙げておく必要がある。

2-1-4. 経済：競争優位性を発揮し、高い付加価値を創出すること

　経済のターゲットを表 2-3 にまとめた。目標 8 と 12 が当てはまり、生産性の向上、資源の有効活用、雇用や賃金問題、リサイクルや再利用の推進、自然と調和したライフスタイルに関する意識の醸成などである。これまでも紙や廃材の再

利用は進められているが、プラスチックの代替材としてさらに木材由来の新素材が普及することが期待される。ただし、それらは持続可能な森林資源由来のものか、リサイクル、リユースなど環境負荷に配慮した製品である必要がある。さらに、木材産業各社がライフスタイルを創造し、森林文化を醸成することも検討すべきである。

2-2. 森林の機能と木材需給の現状

　バックキャスティングによる経営戦略の策定や事業実践を実現するためには、木材産業のあるべき姿に続き、木材産業を取り巻く現状を十分に把握する必要がある。以下では、森林の多面的機能の整理と世界と日本の森林資源をめぐる現状把握を行い、木材産業を取り巻く環境に対する理解を深めていく。

2-2-1. 森林の多面的機能

　森林の役割は木材供給だけではない。生物多様性の維持や、生態系サービスの供給によって、森林や木材の所有者以外も含めた社会全般に多くの恵みをもたらしている。これを、森林の多面的機能と呼ぶ。

　日本では、2001 年 11 月、日本学術会議が農林水産大臣に答申した「地球環境

表 2-4　森林の多面的機能

1	生物多様性保全	遺伝子保全 生物種保全 生態系保全
2	地球環境保全	地球温暖化の緩和（二酸化炭素吸収 化石燃料代替エネルギー）
		地球の気候の安定
3	土砂災害防止 / 土壌保全	表面侵食防止 表層崩壊防止 その他土砂災害防止 雪崩防止 防風 防雪
4	水源涵養	洪水緩和 水資源貯留 水量調節 水質浄化
5	快適環境形成	気候緩和 大気浄化
		快適生活環境形成 (騒音防止 アメニティー)
6	保健・レクリエーション	療養 保養 (休養 散策 森林浴) 行楽 スポーツ
7	文化	景観・風致 学習・教育 (生産・労働体験の場 自然認識・自然とのふれあいの場) 芸術 宗教・祭礼伝統文化 地域の多様性維持
8	物質生産	木材 食料 工業原料 工芸材料

出典：日本学術会議答申「地球環境・人間生活にかかわる農業及び森林の多面的機能の評価について」および同関連付属資料（平成 13（2001）年 11 月）

・人間生活にかかわる農業及び森林の多面的な機能の評価について」のなかで森林の多面的機能が体系的に整理されている（表2-4）。また、2001年7月に改正施行された森林・林業基本法では、森林の多面的機能の発揮を森林・林業行政の基本方針として明示している。

　こうした森林の多面的機能が日本で議論されてきた背景として、①世界全体で地球環境問題の解決に向けた行動枠組みが策定された点、②地球環境問題に対する国民的関心も高まっていた点、③これらを追い風に、環境保全に資する森林整備に予算を割けるようになった点、④国家予算を投じる根拠として、森林は単なる木材の供給源ではなく、多面的な公益的機能を社会に提供していることを強調する必要があった点が挙げられる。

　近年、温室効果ガスの増加による気候変動は年々深刻化しており、温室効果ガス排出の削減のための技術開発だけでなく、森林の炭素固定機能を促進することが求められており、森林の適切な管理を推進する制度の整備や投融資の動きが加速している。森林は、その多面的機能を通じ、気候変動抑制だけでなく、SDGsのさまざまなゴール達成のために重要な役割を果たしうる土地利用形態であり、SDGs達成を目標とする政策や企業経営、ESG投融資額の急増の中で注目される存在となっている。

　木材産業が地球温暖化問題の解決に貢献するために、適切な森林の管理や関与が求められる。そこで次に、森林に関心を持ち、関与していくうえで重要な、国内外の森林資源および木材需給の現状を把握する。

2-2-2. 減少する世界の森林資源

　世界の森林面積は減少し続けている。FAOSTATによれば、世界の森林面積は41.28億ha（1990年）から39.99億ha（2015年）と、25年で2億ha近く減少した。一方、2010年から2015年にかけて、その減少ペースは鈍化した（図2-2）。世界の天然林面積は37億haであり、総森林面積の93％である。

　1990年から2015年までの森林面積の増減を見ると（図2-3）、北アメリカや中国、インド、ロシア、ベトナムなどで増加している一方、ブラジルをはじめとする南米諸国やインドネシア、ミャンマーなどの東南アジア諸国、タンザニアやナイジェリアなどのアフリカ諸国で減少している。

　森林面積減少の主な要因は、森林から農地への転換である。特に、東南アジアではオイルパームの生産拡大のため、ブラジルでは牛肉の生産のための放牧地拡大と

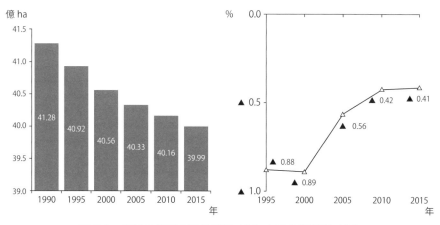

図 2-2　世界の森林面積の推移（左）とその増減率（右）
出典：FAOSTAT（2019 年）より作成

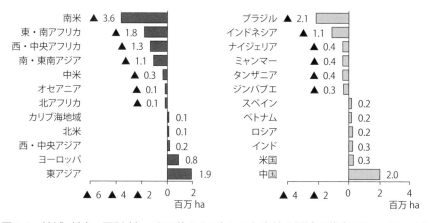

図 2-3　地域（左）・国別（右、上下位 5 か国）にみた森林の増減面積（1990 → 2015 年）
出典：FRA2015 より作成

大豆やトウモロコシなど穀物生産のため、森林が減少している（Curtis *et al.*, 2018）。
　一方、世界の人工林の面積は、1990 年から 2015 年までに 1 億 500 万 ha 以上
増加している。人工林の増加速度は、2000 〜 2010 年の年 530 万 ha でピークを
迎えたが、2010 〜 2015 年は年 320 万 ha に鈍化している。東アジア、ヨーロッパ、
北米、南アジア、東南アジアにおける植林が減少したことが理由である。ちなみ
に日本の人工林面積は世界第 7 位である（表 2-5）。

表 2-5　人工林面積の上位 10 ヵ国（2015 年）

順位	国名	人工林面積（千 ha）	順位	国名	人工林面積（千 ha）
1	中国	78,982	6	インド	12,031
2	米国	26,364	7	日本	10,270
3	ロシア	19,841	8	ポーランド	8,957
4	カナダ	15,784	9	ブラジル	7,736
5	スウェーデン	13,737	10	フィンランド	6,775

出典：FRA2015 より作成

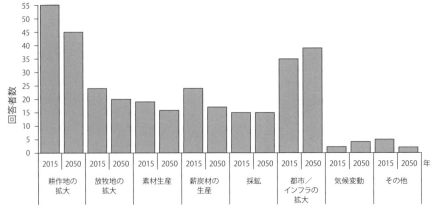

図 2-4　考えられる森林減少の主な要因比較（2015 年と 2050 年、n＝72）
出典：FAO, n.d. の図を転載

　世界の森林の炭素蓄積量[3]に目を向けると、農地利用への転換や森林劣化等
により、1990 ～ 2015 年で約 111 億炭素 t 減少している。しかし、1990 年代に年
5 億炭素 t の減少であったが、2010 ～ 2015 年は年 3 億炭素 t の減少と、減少幅
が縮小している。要因は、中・南米、アジアにおける大幅な森林減少の抑制等に
よるものである。この減少ペースは、REDD+ 等の国際的な取り組みによる森林
の二酸化炭素吸収・排出機能の理解の広まりにより、一段と小さくなる見通しで
ある（FAO, 2015）。
　FAO は、FRA（世界森林資源評価）2015 年版の発行に際し、155 人の専門家
に対して、森林資源の将来を問うインターネット調査を実施した。この調査で森
林が減少していると回答した国・地域に属する 72 名（図 2-4）によると、自地
域の森林面積は、現在、耕作地の拡大によって減少しているとの見方が一番多い

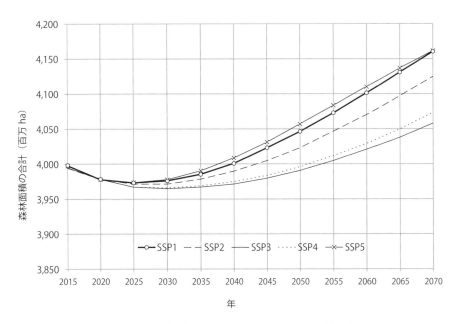

図 2-5　複数の共通社会経済経路に基づく世界の森林面積の予測
出典：Nepal ほか（2019）図 2 を転載

　ものの、将来の森林減少要因として、都市やインフラ建設用地の拡大を選択する
割合が高まったことにも注目しなければならない（FAO, n.d.）。森林減少は、木
材産業を持続させる上で必ず解決しなければならない課題であるが、世界の人口
がますます増加するなかで、食料問題だけでなく、都市ならびにインフラ建設用
地の拡大問題と密接にかかわっていることを認識しておく必要がある。

　なお、複数の共通社会経済経路（Shared Socioeconomic Pathways：SSPs）[4]
に基づき世界の森林面積の将来を予測すると、人工林面積の増加を主因として、
2030 年前後を境に増加に転じると予測される（図 2-5）。この予測の場合、木材
需要は世界の人口増加によって高まる一方、木材供給も増加する可能性を意味す
る（Nepal *et al.*, 2019）。

　これまで見てきた現状と見通しを踏まえると、都市化による建物用地への転用
や食料需要による農地転用で森林面積が減少し続ける可能性もある一方、天然林
保全の進展と植林の増加で、森林資源の供給量が増加する可能性もある。いずれ
にせよ、日本の木材需給に大きな影響があることは間違いなく、木材産業各社は
外部環境が目まぐるしく変化するなか、適切に対応していく必要がある。

2-2-3. 増加する世界の素材生産量と木材需要量

　世界の人口が増加するに従い、木材生産量は増加し、2017 年には 38 億 m³ に達した。1961 年時点で木材生産量に占める産業用丸太の割合は 4 割だったが、2017 年には 5 割を超えている（図 2-6）。

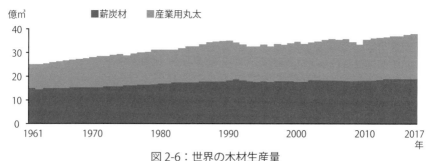

図 2-6：世界の木材生産量
出典：FAOSTAT（2019 年 1 月 10 日時点）より作成

　木材需要量（＝木材生産量に、輸入量から輸出量を差し引いた値）を地域別に比較すると、アジアとアフリカでは薪炭材需要が大半を占め、他の地域では、産業用丸太の需要が過半を占めることがわかる。また、どの地域も、木材需要量は概ね増加傾向にあることがわかる（図 2-7）。世界では木材需要が高まる一方で、少なくとも 2030 年に向けて森林面積の減少が続くと予想されるため、ますます木材資源の減少や森林劣化が懸念される状況にある。

2-2-4. 増加する日本の森林資源

　日本の森林面積は、明治時代以降、概ね 2,500 万 ha で推移していることが、明治時代以降作成されている地形図の分析から明らかになっている（氷見山 *et al.*, 2006）。

　第 2 次世界大戦後の森林面積は、図 2-8 に示した通り 2,500 万 ha 前後で推移している。人工林の割合は、少なくとも 1966 年以降高まっている。

　ただし、日本帝国政府農林省などが発行する各種統計を横断的に分析した研究では、明治時代初頭から第 2 次世界大戦直前にかけて、森林面積は減少傾向にあった可能性が指摘されている。特に、第 2 次世界大戦前後は、軍事特需や戦後の復興需要で伐採面積が植栽面積を大きく上回っており、森林面積は、第 2 次世界大戦前後に一時的に減少していた可能性が高い。それでも、日本の森林面積が大き

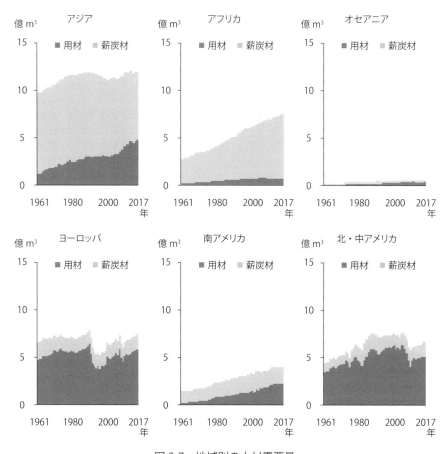

図 2-7　地域別の木材需要量
出典：FAOSTAT（2019 年 1 月 10 日時点）より作成
注：需要量は、生産量に輸入量を加え、輸出量を減じたものである。

く減少しなかった要因は、日本の山林の約半分が伐採の困難な 40 度以上の急傾斜地であること、森林を伐採して放牧地にしなかったことなどが指摘されている（山口, 2015, pp.6–8）。

　また、森林蓄積量は第 2 次世界大戦後の再造林・拡大造林によって近年 0.7 億 m³ ずつ増加し、2017 年時点で 52.4 億 m³ に達している（図 2-9）。しかし、前出の山口（2015）の分析では、第 2 次世界大戦前の森林蓄積量は一時減少した可能性が指摘されている。実際、林野庁「平成 29 年度森林・林業白書」では、第 2

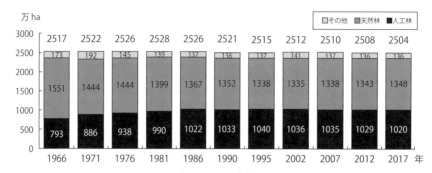

図 2-8　日本における森林面積の推移
出典：林野庁「森林・林業白書」、同「森林資源の現況（平成 29 年 3 月 31 日現在）」より作成

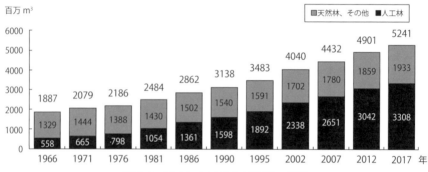

図 2-9　日本における森林蓄積の推移
出典：林野庁「森林・林業白書」、同「森林資源の現況（平成 29 年 3 月 31 日現在）」より作成

次世界大戦中の用材・薪炭材の伐採量が、その前後数十年で最大になったことを
示している。なお、直近である 2017 年 3 月 31 日時点の人工・天然別、国有・
民有林別の森林蓄積量は、図 2-10 の分布となっており、国有林の割合は北海道、
東北、九州で、民有林人工林の割合は西日本ほど高い。

2-2-5. 転換が進む日本の木材需給構造

　日本の木材消費の 6 ～ 7 割は、第 2 次世界大戦ごろまで薪や炭などの燃料材で
あった。また、19 世紀末までは、 1 次エネルギー供給量の 7 割以上を薪炭が占
めていたが、20 世紀に入り、産業用エネルギーが薪炭から石炭にシフトしたこ
とで、エネルギー供給量の割合は大きく低下した。それでも、家庭用の主要なエ
ネルギーは薪炭材であったことから、第 2 次世界大戦後に薪炭材から石油にエネ
ルギー源が転換するまで、一貫して燃料材は 2,800 万 m³ を上回っていた（山口．

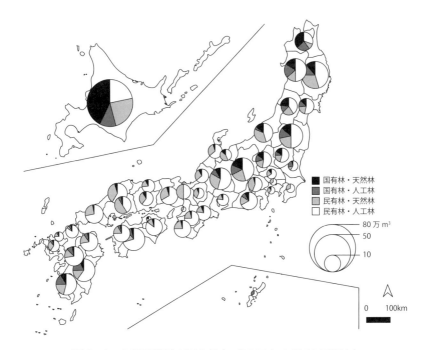

図 2-10　森林蓄積量の国内分布（2017 年 3 月 31 日現在）
出典：林野庁「森林資源の現況（平成 29 年 3 月 31 日現在）」より作成

2015, pp.28–30）。しかも、燃料材のほとんどは国内で生産されたものであった（山口 , 2015, p.39）。

　第 2 次世界大戦後は、前述のとおり燃料材の消費量が減少し、用材の消費量は、高度経済成長に伴う住宅需要などの建材需要と経済規模拡大に伴う紙需要がけん引役となって増加した。しかし、景気悪化や住宅ストックの充実、ICT 技術の進展に伴う紙需要の低下などで用材需要は 1990 年代後半以降、縮小傾向であった。ただし、2010 年代以降、再生エネルギーの固定価格買取（FIT）制度で木質エネルギー由来の電気が高値買取となり、大規模な木質燃料系発電所の建設が進んでいることから、燃料材の需要が拡大し、日本の木材需給量も増加に転じている（図 2-11）。

　木材自給率は、1960 年代前半まで国内からの供給で満たされていたため 70％を超えていた。だが、国内供給だけでは足りず、輸入することによって満たした結果、木材自給率は低下し、2002 年には 18.8％と過去最低を記録した。その後は、輸入材が減少する一方で、国内生産が増加し続けたため、木材自給率は上昇に転

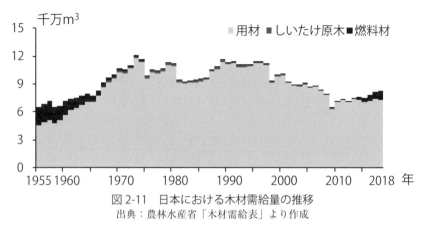

図 2-11　日本における木材需給量の推移
出典：農林水産省「木材需給表」より作成

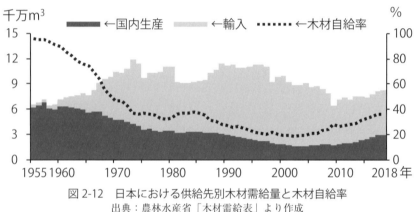

図 2-12　日本における供給先別木材需給量と木材自給率
出典：農林水産省「木材需給表」より作成

じ、2018 年時点で 36.6％となった（図 2-12）。

　木材自給率が上昇しているとはいえ、日本では現在もなお、木材需要量の 6 割を輸入に依存している。しかし、その内訳を見ると、5 割が木材パルプ、木材チップ、製材品が 2 割弱、合板製品が 1 割、丸太が 1 割弱で、1960 年代のそれとは大きく異なる（図 2-13）。これは、1960 年代以降、原木輸出国が原木禁輸措置を打ち出し、製品輸出に切り替えたこと、日本の製紙企業が海外で産業植林事業を行い、製紙原料を大規模に輸入していることなどが変化の要因として挙げられる。

　木材自給率上昇のもう 1 つの要因である国内の素材生産量の増加は、合板用素材生産量の増加による（図 2-14）。1990 年代以降、合板原料として輸入してきた北洋材（ロシア産材）に対する輸出税が急上昇したこと、燃料価格の上昇、為替

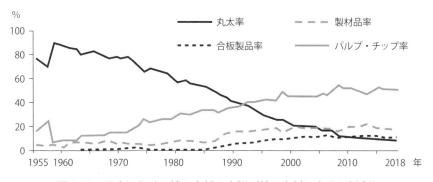

図 2-13　日本における輸入木材の内訳（輸入木材に占める割合）
出典：農林水産省「木材需給表」より作成

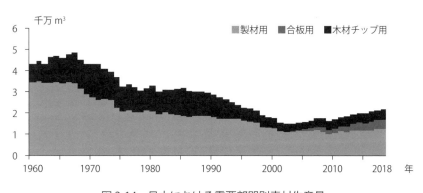

図 2-14　日本における需要部門別素材生産量
出典：農林水産省「木材需給報告書」より作成
　注：2000 年までの木材チップ用には、木材パルプ用の生産量を含む。また、2018 年の値は第
　　　1 報の値であり、確報値ではない。

相場の不安定化、日本国内の地球温暖化対策による間伐施業の強化と搬出された
間伐材の急増、小径木対応のリングバーカーの普及補助政策、合板工場への国産
材直送体制の確立などが重なったためである（多田, 2012）。
　日本国内の素材生産は、北海道、東北、九州に集中しており、九州では製材向
け中心、北海道と東北では、製材向けに加え、合板向けと木材チップ向け（製紙
向け）が盛んである（図 2-15）。この素材生産量の分布と森林蓄積量の分布（図
2-9）を比較すると、森林蓄積量に大きな差はないにもかかわらず、素材生産量
に大きな違いが生じていることがわかる。この違いを生んでいる主な要因は、素
材需要量に偏りがあるためである（図 2-16）。すなわち、原木の主な需要者であ

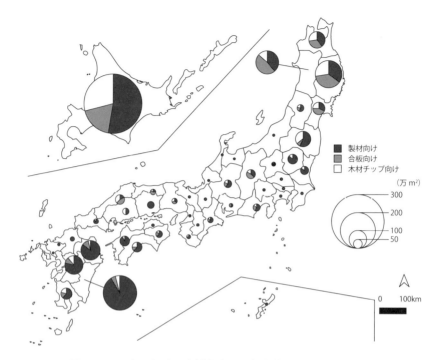

製材向け
合板向け
木材チップ向け

（万 m²）
300
200
100
50

0   100km

図2-15　日本における素材生産量の都道府県分布（2018年）
出典：農林水産省「木材需給報告書」より作成

る大規模な製材工場、合板工場、製紙工場が特定の地域に偏って立地しているためである。

2-3. 木材産業をめぐる日本の現状

本節では、日本の木材サプライチェーンの現状を把握する。

2-3-1. 小規模な山林所有と森林組合による組織化

2015年農林業センサスによれば、所有1〜5 haの山林を保有する林家は61.7万戸、1 ha以上山林を保有する林家の7割を占める（図2-17）。一方、1 ha未満の山林を保有する林家は、過去の農林業センサスから推測すると100〜150万戸程度存在するとみられ、素材生産や森林管理上の課題となっている。

森林組合は、小規模山林所有構造を組織化し、素材生産だけでなく、造林、保

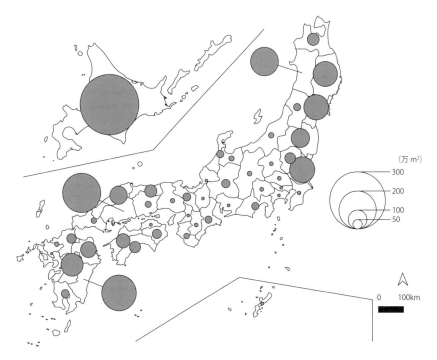

図 2-16　日本における木材需要量の都道府県分布（2018 年）
出典：農林水産省「木材需給報告書」より作成

育を進めるうえで欠かせない存在である。森林組合における組合加入率は、2017
年度時点で 67％に達している。なお、ここでいう組合加入率とは、市町村有林、
財産区有林、私有林面積の合計に占める森林組合員所有森林面積の割合である。
　近年、国内における素材生産量の増加により、森林組合の事業量も増加してい
る（図 2-18）。図 2-14 で示した通り、近年の素材生産量は 2,000 万 m³ を超えており、
2017 年度には、その 3 割が森林組合によって生産されている。所有山林の位置
する森林組合区域外に居住する者は 15％程度存在するため、森林管理上の課題
となることもあるが、それでも一定数の林業経営体は森林組合によって組織化さ
れている点を見過ごしてはならない。

2-3-2. 木材産業の担い手

　木材利用を進める上で、木材産業の担い手の確保は重要な課題である。国内で
は人口減少が今後一層進行すると予測されている。そのため、担い手の確保に一

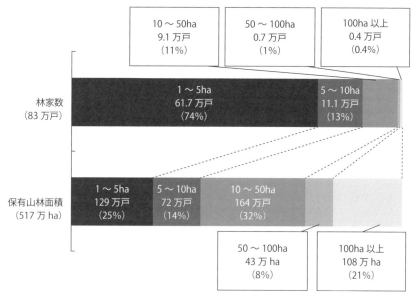

図 2-17：保有山林規模別林家数と保有山林面積
出典：農林水産省「2015 年農林業センサス」より作成
　　　注1：林家とは保有山林面積が 1ha 以上の世帯をいう。
　　　注2：（ ）内の数値は合計に占める割合である。
　　　注3：計の不一致は四捨五入による。

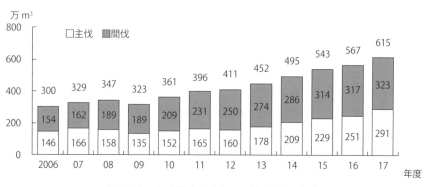

図 2-18　森林組合による素材生産量の推移
出典：林野庁「森林組合一斉調査」より作成

層注力するとともに、機械化や工程でイノベーションを起こし、生産性を上げる
必要がある。もちろん、木材産業の賃金水準向上や福利厚生等の充実、これらを
実現する持続可能な事業戦略の構築も求められる。

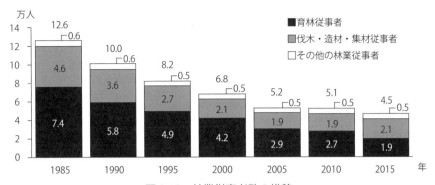

図 2-19　林業従事者数の推移

出典：総務省「国勢調査」より作成

注 1：「伐木・造材・集材従事者」については、1985 年、1990 年、1995 年、2000 年は「伐木・
　　　造材作業者」と「集材・運材作業者」の和。

注 2：「その他の林業従事者」については、1985 年、1990 年、1995 年、2000 年は「製炭・製
　　　薪作業者」を含んだ数値。

　近年の木材産業に関係する従事者数を具体的に見ていく。林業従事者数を見る
と、全体では減少傾向であるものの、近年の素材生産量増加を受けて伐木・造林・
集材従事者数は増加に転じている（図 2-19）。ちなみに、林業従事者の高齢化は
他産業同様に進んでいるが、緑の雇用制度による新規就業者確保が奏功し、若年
層（40 歳以下）の林業従事者数は緩やかに増加している。

　林野庁の公表資料によれば、就業前の若手林業者の教育・研修機関として林業
大学校等を新たに整備する動きが広がっており、2019 年 4 月時点で全国に 18 校
存在する。このうち、4 校が 2017 年 4 月、2 校が 2019 年 4 月に開講しており、
近い将来、専門教育を受けた人材が輩出され始める。木材産業は、イノベーショ
ンを先導するこうした人材の採用も検討する必要があるだろう。

　木材加工産業の従事者数も、林業従事者同様に減少し、2015 年時点の従事者
数は、1995 年時点の半数となった（図 2-20）。近年、製材工場で進む生産能力の
大規模化と自動化や、中小規模の木材加工業者の廃業などが、従事者数減少の主
な要因である。

2-3-3. 低迷する原木価格とわずかに上昇する製材品価格

　木材価格は近年低迷している（図 2-21）。山元立木価格は、1980 年前後をピー
クに低下しており、スギの場合、近年は 1 m³ あたり 3,000 円前後で取引されて

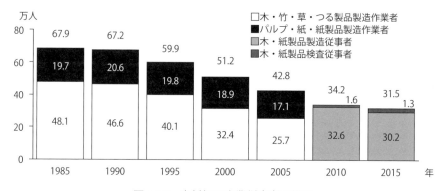

図 2-20　木材加工産業従事者の推移

出典：総務省「国勢調査」より作成

注：2010 年以降、国勢調査の職業小分類で「木・紙製品製造従事者」と「木・紙製品検査従事者」に該当する従事者を、2005 年以前は、「木・竹・草・つる製品製造作業者」と「パルプ・紙・紙製品製造従事者」に該当する従事者を、木材加工産業従事者と呼ぶ。

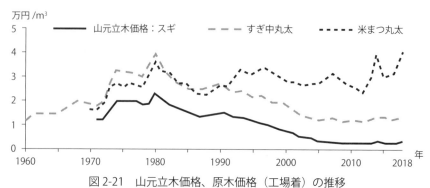

図 2-21　山元立木価格、原木価格（工場着）の推移

出典：一般財団法人日本不動産研究所「山林素地及び山元立木価格調」、農林水産省「木材需給報告書」より作成

いる。このため、これまで投下してきた育林費用や再造林費用が立木の売り上げから捻出できず、再造林を早々に断念するケースが後を絶たない。

　工場着の原木価格（すぎ中丸太）は、山元立木価格に 8,000 円程度加えた水準で推移している。この 8,000 円は、伐採現場から工場までの輸送、積み込み・積み下ろしの費用であり、原木市場を経由する場合、市場手数料も含まれる。近年、買取価格を事前に取り決め、原木を伐採現場から工場へ直送する事例が増加しているが、これにより市場手数料と市場での積み下ろし・積み込み費用が削減できるため、この削減分を事業者と山林所有者に立木代金として配分し、再造林費用

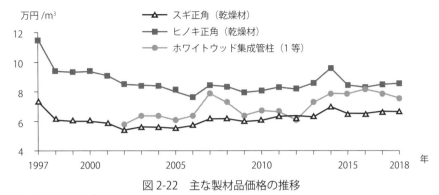

図 2-22　主な製材品価格の推移

出典：農林水産省「木材需給報告書」より作成
　注1：「スギ正角（乾燥材）」（厚さ・幅 10.5cm、長さ 3.0m）、「ヒノキ正角（乾燥材）」（厚さ・
　　　　幅 10.5cm、長さ 3.0m）、「ホワイトウッド集成管柱（1 等）」（厚さ・幅 10.5cm、長さ 3.0m）
　　　　はそれぞれ 1 m³ あたりの価格。「ホワイトウッド集成管柱（1 等）」は、1 本を 0.033075m³
　　　　に換算して算出した。
　注2：平成 25（2013）年の調査対象等の見直しにより、2013 年の「スギ正角（乾燥材）」、
　　　　「スギ中丸太」のデータは、2012 年までのデータと必ずしも連続していない。

の原資として活用することが期待されている。

　米まつ丸太の価格は、1990 年代前半まですぎ中丸太と同水準で推移していた
が、その後、価格が上昇し、現在に至る。日本では、かつて輸入材の多くが丸太
で占められていたが、製品輸入にシフトしたこと、中国などの新たな需要者が価
格決定の主導権を握ったことなどが、米まつ原木価格の上昇要因として挙げられ
る。

　スギ、ヒノキの製材品価格は、人件費の上昇をはじめとする物価の上昇を受け
て、近年、わずかに上昇している（図 2-22）。ホワイトウッド集成管柱の価格も年々
上昇しているが、為替相場の影響を除けば、実質、物価上昇分に相当する上昇と
いえる。木材・木製品は国際商品であるため、乾燥（KD）材のスギ正角といえども、
容易に価格上昇することはできないため、山元立木価格を上昇させて山林所有者
の所得向上を目指すならば、伐採生産性の向上と低コスト化、流通コストや製品
製造コストの削減が求められる。

2-3-4. 木材サプライチェーンと大規模からニッチな需要家までを包含する 需給調整・取引システム

　日本国内の原木・製品取引は、市場取引と直接取引に大別される。かつては、

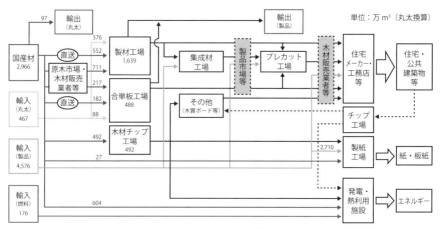

図 2-23　原木・木製品のサプライチェーン

出典：林野庁「平成 30 年度　森林・林業白書」を転載（原典：林野庁「平成 29 年木材需給表」
　　　等を基に林野庁企画課作成）

注 1 ：主な加工・流通について図示。また、図中の数値は平成 29（2017）年の数値で、統計
　　　上明らかなものを記載している。

注 2 ：「直送」を通過する矢印には、製材工場および合単板工場が入荷した原木のうち、素材
　　　生産業者等から直接入荷した原木のほか、原木市売市場との間で事前に取り決めた素
　　　材の数量、造材方法等に基づき、市場の土場を経由せず、伐採現場や中間土場から直
　　　接入荷した原木が含まれる。詳しくは平成 30 年度森林・林業白書 183-184 ページを参照。

注 3 ：点線の枠を通過する矢印には、これらを経由しない木材の流通も含まれる。また、そ
　　　の他の矢印には、木材販売業者等が介在する場合が含まれる（ただし、「直送」を通過
　　　するものを除く）。

原木市場や製品市場経由の取引量が直接取引量を大きく上回っていたが、2017
年時点の調査では、製材工場および合単板工場に仕向けられる国産材のうち、原
木市場や木材販売業者経由の取引量が 928 万 m³、直送の取引量が 734 万 m³ と、
4 割に達している（図 2-23）。

　原木の市場取引は、共販所、原木市場等に原木が持ち込まれたのちに樹種、径級、
長さで分類され、最も高い値を付けた業者が原木の落札者となる仕組みである。
製品の市場取引は、樹種、寸法、強度などの規格、用途ごとに分類され、原木と
同様の方法で落札される取引である。この方法は、原木供給者（主に林家、森林
組合、素材生産業者）、製品業者（主に製材業者）、入札業者（主に製材業者や工
務店）いずれも、事業の規模を問わず参加できることが利点である。また、少量
だが希少価値のあるニッチな原木・製品を入手できる可能性も市場は提供してお
り、原木・製品需給をマッチングさせる探索コストや交渉コスト（取引費用）を

低減させている。一方で、市場利用に伴う各種手数料（椪積手数料_{はいづみ}、市場管理費等）に加え、市場への搬入、搬出に伴う運搬費用が発生する。

　原木や製品を大規模に消費する需要者は、安定的な取引量の確保を重視するため、直接取引を併用する場合が多い。ここでいう直接取引とは、原木や製品の供給者が需要者と直接取引することを指す。原木の場合、伐採現場から工場まで直接輸送され、製品の場合、製材・プレカット工場から納入先（例えば、住宅建設現場）まで直送される。これに伴う金銭のやり取りも、原則供給者と需要者で直接実施される。供給者と需要者との間に商社が介在する場合もあり、この場合、商社が与信機能や需給情報の調整、資金決済の仲介などを担う。直接取引では、市場取引で発生する手数料や輸送コストを圧縮できるため、大手メーカーが国産材仕入の際に採用するケースが増えている。

　現在実施されている直接取引の価格は、市場取引の価格や地域の事情を踏まえ慎重に設定されることが多い。それでも、直接取引では、より事業規模の大きな需要者側の価格交渉力が供給者側よりも大きくなりがちであり、供給者側にとって不利な取引価格となる場合も多い。このため、中小規模の素材生産業者や製材業者、森林組合、森林管理署、自治体の林野行政担当者などが協議体を構成し、取引価格の協議や需給量の見通しに関する情報交換を実施している地域も存在する。

　近年、パワービルダーなど木材製品需要者側の事業規模が拡大している。それに伴い、確保する必要がある木材の量が増加しており、これらの大規模需要家は、今後、立木の直接買い付けや山林経営に乗り出す可能性も考えられる。しかし、山林経営に取り組む場合、自然災害や長期の投資回収期間といった単年度では評価しにくいリスクを負うことになるため、山林経営から製品出荷・小売までをすべて手がけるという事業の垂直統合は現在のところ限定的な動きであるといえる。

2.3.5. 新たな税制・制度の導入による森林整備推進の可能性

　日本ではこれまで、京都議定書に基づく地球温暖化防止森林吸収源 10 カ年対策、緊急間伐 5 カ年対策（2000 ～ 2004 年度）、新生産システム（2006 ～ 2010 年度）、木材利用ポイント（2013 ～ 14 年）など、さまざまな林業活性化策が実施されてきた。こうした施策や制度は、事業範囲を制約する障壁にもなり得るが、ビジネスチャンスにもなり得るため、常に注意を払うべきである。

近年の動きとして、森林環境税および森林環境譲与税の創設（2019年）、森林経営管理制度の開始（2019年）、国有林野における樹木採取権制度の導入（2020年開始予定）などがあげられる。いずれも、森林整備をこれまで以上に推進するために導入される制度である。

　森林環境税は、森林の公益的機能を発揮させるために課税し、森林環境譲与税として各自治体に譲与され、森林整備や木材利用の促進等に活用される予定である。森林環境税は2024年度以降、住民税均等割の納税義務者である約6,200万人に対して年1,000円の課税が予定されている。森林環境譲与税は、2019年度に譲与開始されるが、2019〜2023年は税収がないため、地方譲与金特別会計での起債（2019年度のみ）および地方公共団体金融機構の金利変動準備金を活用し、譲与基準にしたがって市町村、全都道府県に譲与される。この譲与額は、2019年度に200億円、2020〜2021年度に400億円、2022〜2023年度に500億円、2024年度に600億円と徐々に増えていく見込みである。見方を変えれば、毎年度200〜600億円規模の木材関連需要が新規発生するため、木材産業は、税創設の趣旨に合致しつつ、SDGsやESG課題にも貢献できる経営戦略が何であるかをよく検討する必要がある。

　森林経営管理制度は、小規模林野、所有者不明等の理由で整備の進まない森林の整備を進めるための行政手続き等について定めている。本制度の導入に際し、経営意思のない林地や所有者不明等林地の所有・利用権への行政介入に対する批判もあったが、例えば所有者が不明である林地の存在は森林整備を推進する上で大きな障壁だったことは事実であり、法制化による手続き方法の明確化・統一化が図られたことは歓迎すべきである。その一方、本制度の実施主体である市町村の多くで林務に関する人材・ノウハウ不足のところが多く、実施体制上の課題も多い。

2-4. 日本で増加の兆しがある新たな木材需要

　日本の木材需要は先細りとの見方がある。製材需要の多くは新築住宅需要に左右されるが、人口減少、単独世帯化、中間所得層の減少などで需要拡大は見込めず、チップ・パルプ需要は、ICT機器の浸透によるペーパレス化の進展、中国などの競合参入など見通しは厳しい。日本の人口は、一定数の移民増加が続いたとしても、2050年に1億271万人まで減少することが予測されている（図2-24）。人

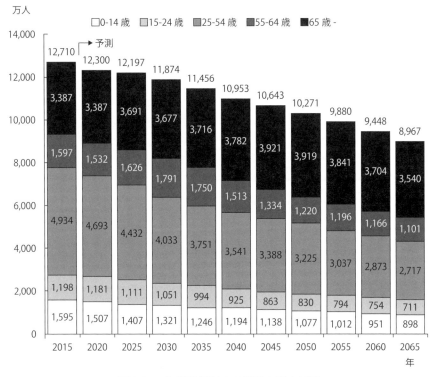

図 2-24　年齢階層別人口推移と将来予測

出典：総務省「国勢調査」、国立社会保障・人口問題研究所「日本の地域別将来推計人口（平成30（2018）年推計）」より作成

口減少の要因は少子化で、2005 年以降の合計特殊出生率の上昇を織り込んでも2100 年以降も人口減少は続く見通しである。このため、日本国内の木材需要は大きな構造変化を迎えることは間違いない。

　一方、さまざまな先行投資や政策支援などにより、新たな木材需要者が現われ始めている。SDGs に貢献しつつ、木材産業にかかわる個別企業、ひいては、木材産業全体の価値が底上げされるためには、将来日本の方向性を見定める必要がある。以下では、木材の新規需要先として期待される、非住宅木造建築物および新素材に関して説明する。

2-4-1. 非住宅木造建築物の増加と内装木質化

　温室効果ガスを貯蔵する方法として、持続可能な森林経営がなされている森林

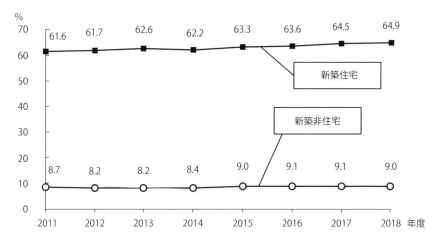

図 2-25　住宅・非住宅建築物における木造率の推移

出典：国土交通省「建築着工統計」より作成
注：新築住宅とは、居住専用住宅、居住専用準住宅、居住産業併用建築物に区分される建築物の床面積の合計、新築非住宅とは、建築物床面積の合計から新築住宅の床面積を除いた値である。

から伐採した木材を使用した建築物等の建設拡大が考えられる。日本では、住宅建築物の木造率は比較的高い水準であり、緩やかに上昇している一方、非住宅建築物の木造率は、9％前後で推移している（図 2-25）。建築着工統計によれば、木造とは、主要構造部（建築基準法第 2 条第 5 号の定義による）が木材である建築物を指し、混構造の場合、木造の床面積が多数を占める建築物を指す。そのため、一部が木造である建築物の床面積はこの統計に計上されていない。非住宅建築物では、こうした混構造が採用されつつあることから、図 2-25 に示すように新築非住宅木造率は過小評価されている可能性はあるものの、木造非住宅建築物の新築の余地は大きいと考えられる。また、内装や什器への木材利用拡大も木材需要の代替先となり得る。

　建物用途別に非住宅木造率を見ると、農林水産業用建築物や宿泊業・飲食サービス業用建築物で 3 割を超えており最も高い。一方で、非住宅木造建築物の着工床面積で見ると、医療、福祉用建築物（老人福祉施設、診療所等）が最も多く、100 〜 120 万 m^2／年で近年推移している。これらの用途以外の新築非住宅建築物は木造率が低い、もしくは木造床面積が小さく、木造化の余地は大きい。

　非住宅建築物の木造化を阻む要因は、建築規制、防火規制等の法規制だけでな

く、木造非住宅建築物の設計者・施工業者の不在や経験不足、非住宅向け木材流通の未発達に加え、施主自身が木造を選択しないことである。施主が木造を避ける理由の１つとして、他の構造よりもコスト高を挙げることが多い。しかし、適切なプロジェクト計画やパートナー業者を選定できれば、施主は、他の構造よりも安く木造建築物を発注できる可能性もある[5]。

　また、都市の一部地域では、諸規制により木造化が難しい場合や既存建築物をリフォームする場合もありえる。このときは、内装の木質化や木製家具を導入することで、建物内部の空間価値を高められると同時に、温室効果ガスの貯留にも貢献できる[6]。

2-4-2. 脱プラスチックの時代到来と木由来の新素材開発

　石油由来の素材で製造された製品を、木由来の素材で置き換えることで、木材の新規需要が生まれる可能性がある。特に、現在、脱プラスチックによる代替材需要が高まるなかで、木由来の新素材がその需要を取り込めるかどうかが、今後の木材需要拡大の鍵を握る。

　特に注目される新素材として、セルロースナノファイバー（CNF）と改質リグニンがある。林野庁によるマテリアル利用の支援は、この２つの素材に重点が置かれている（大川, 2019）。CNF 関しては、ボールペンのインク、消臭シート、靴底のクッション材などすでに製品化されたものもある。

　改質リグニンは現在、製品開発が進められている。例えば、内外装材に改質リグニンを導入した自動車の試作や電子基板用のフィルム開発（山田, 2019）などの取り組みがある。

　こうした木由来の新素材開発は大変重要である。木材産業各社は、SDGs の生物圏、社会、経済で掲げたあるべき姿を踏まえつつ、こうした新素材をどのように木材業界や自社の価値向上に結びつけられるか、というストーリーメイキングにも注力し、投資家や環境 NGO などのステークホルダーに伝える必要がある。

（多田忠義）

注
１）非上場企業の株式を意味する。
２）多くの資金を株式や債券で運用していることから、事実上、市場全体を輪切りにした一部（スライス）を所有した状態となっている機関投資家を指す。先進諸国の年

金基金などが該当する。

3）森林の炭素蓄積量は、地上部のバイオマス（生きている樹幹、枝条、樹皮、葉等）、地下部のバイオマス（生きている根）、枯死木、リター（落葉落枝等）および土壌に含まれる炭素蓄積量の合計である。

4）国内からは環境研究所が参画している統合評価モデルコンソーシアムが中心となって作成、公開している、気候変動問題などの将来予測を行う上での基盤となる社会経済シナリオを指す。https://www.nies.go.jp/whatsnew/20170221/20170221.html

5）例えば、林野庁 Web「木材・木造建築物関係のハンドブック」（https://www.rinya.maff.go.jp/j/mokusan/handbook.html）に基礎情報、木造のメリット、詳細情報の案内などが掲載されている。また、ウッドソリューション・ネットワーク（2019）「企業価値を高める木造建築」（https://www.nochubank.or.jp/news/news_release/2019/post-535.html）では、施主が木造を選択する動機を与えてくれる情報が提供されている。

6）Web 上で閲覧可能な情報の例として、一般社団法人日本木造住宅産業協会（2018）「内装木質化ガイドブック」（https://www.mokujukyo.or.jp/download.php?image=files/interior_guidebook.pdf）、公益社団法人国土緑化推進機構 Web「オフィスを木質化する」（http://www.green.or.jp/company/office/）、ウッドソリューション・ネットワーク（2018）「MOKU LOVE DESIGN ～木質空間デザイン・アプローチブック～」（https://www.nochubank.or.jp/news/news_release/2018/moku-love-design.html）などが挙げられる。

参考文献

Curtis, P.G., Slay, C.M., Harris, N.L., Tyukavina, A., Hansen, M.C., 2018. Classifying drivers of global forest loss. Science. 361, 1108–1111. doi: 10.1126/science.aau3445

FAO, n.d. Forest Futures online survey results [WWW Document]. URL http://www.fao.org/forestry/39765-0938615fdf27461fb8b77ef5989890cc3.pdf（2019 年 11 月 29 日最終アクセス）.

氷見山幸夫，新井正，太田勇，久保幸夫，田村俊和，野上道男，村山祐司，寄藤昂，西川治，2006．アトラス：日本列島の環境変化，普及版．朝倉書店．

Nepal, P., Korhonen, J., Prestemon, J.P., Cubbage, F.W., 2019. Projecting global planted forest area developments and the associated impacts on global forest product markets. J. Environ. Manage. 240, 421–430. doi: 10.1016/j.jenvman.2019.03.126

御田成顕，大地俊介，桑畑弘幸，尾分達也，藤掛一郎，2019．日常活動理論を用いた盗伐発生メカニズムの理解．日本森林学会誌 101，207–213．

大川幸樹，2019．木材のマテリアル利用の経緯と意義（特集　地域の木材を活用した新素材による新たな産業の創出）．杣径　林経協季報，1–6．

多田忠義，2012．東北地方における合板向け国産材供給体制の実態．林業経済研究 58，68–77．doi: 10.20818/jfe.58.1_68

山田竜彦，2019．国産材活用のイノベーション「改質リグニン」（特集 地域の木材を活用した新素材による新たな産業の創出）．杣径　林経協季報，7–12．

山口明日香，2015．森林資源の環境経済史：近代日本の産業化と木材．慶應義塾大学出版会．

第 3 章

ESG 課題解決への林業・木材産業の貢献ポテンシャル

はじめに：林業・木材産業と ESG 課題

　気候変動などグローバルな諸問題が深刻化していく中で、世界の国々が協力してその解決を図っていくための共通の目標として、2015 年の国連サミットにおいて持続可能な開発目標（SDGs）が採択された。SDGs は 2030 年までに世界が達成を目指す目標であり、17 のゴールおよび 169 のターゲットにわたる。その広範な目標達成のためには、政府や国際機関だけでなく、民間企業を含めたあらゆるステークホルダーの取り組みが必要であると宣言されている。このため、さまざまなビジネスセクターの民間企業が、経済的な利益をあげつつ、それぞれの事業を通じて得意なテーマ・ターゲットの達成に貢献することで、社会全体としてSDGs 全体の目標を達成していくことが期待される。

　このような動きは、企業の事業内容と企業価値との関係を大きく変え、新たなリスクと事業機会を生み出しつつある。世界経済フォーラムの諮問機関「ビジネスと持続可能な開発委員会」は、SDGs の達成のために、食料・農業、都市、エネルギー・材料、健康・福祉分野において 2030 年までに年間 12 兆米ドル以上のマーケットと、3.8 億人分の労働機会が得られると推定している（Business & Sustainable DevelopmentCommission, 2017）。これに対応し、企業の環境・社会・ガバナンス（ESG）課題への取り組みと、それを重視する ESG 投資・融資が拡大しつつある。

　ESG 投資は、以前から篤志家や団体によって行われていた社会的責任投資（SRI）が発展したもので、ESG 課題に取り組む企業に投資することで、社会的リターンのみならず経済的リターンも得られることが示唆されることによって、多くの機関投資家（アセットオーナー・アセットマネージャー）の参加を呼び起こした。ESG 投資による経済的リターン確保の考え方としては以下の 2 点が挙げられる（水口，2019）。

(1) 長期投資家の立場から、ESG 要因が投資のリスクとリターンに影響すると評価

　企業価値、すなわち企業が行っている事業が将来にわたって生み出す経済的価値は、以前は企業が所有する有形資産の大きさによって相当程度計測可能であったが、近年では有形資産よりも無形資産の方が、企業価値の評価に重要な要素となってきている（加藤，2019）。長期的な投資によって経済的リターンを獲得することを目指す投資家は、この無形資産のうち企業の ESG 課題への取り組み状

況（ESG 情報）をその中長期的な成長の指標とし、投資先を選択する（ポジティブ・ネガティブスクリーニング、インテグレーション）、または投資先に ESG 課題への取り組みを促す（エンゲージメント）ことによってリターンの増大を図る。

(2) ユニバーサルオーナーの立場から、投資の負の外部性を削減し、社会の持続性を図ることが合理的と判断

　年金積立金管理運用独立行政法人（GPIF）のような社会の広範な企業への投資を行っている大型の機関投資家（ユニバーサルオーナー）にとっては、個々の企業に ESG 活動に取り組ませることによって、経済・社会全体の発展を図っていくことがその存続のために重要であると認識されている。この場合では新たに投資をしたり売却したりするのではなく、既存の投資先との中長期的な戦略についての対話（エンゲージメント）が主な取り組みとなる。

　近年では、民間企業の ESG 課題への取り組みや機関投資家による ESG 投資・融資を促進するため、イニシアティブ形成や情報開示フレームワーク形成が進められている（第 1 章参照）。このため各企業は、自社の企業活動がどのように ESG 課題の解決に貢献し、中長期的な成長を達成しようとしているのか、外部ステークホルダーに説明できるように事業内容を見直し、必要であれば修正を図っていく必要性が高まっている。

　ESG 投資・融資の観点からみて、林業・木材産業はリスクと機会の双方を持っている。林業・木材産業が資源として依存する森林は、温室効果ガス（＝二酸化炭素）の吸収・固定を行い、地域社会また流域全体への生態系サービスの供給も行っている。総理府・内閣府・農林水産省は、1980 年より森林に期待する役割についての世論調査を行っている（図 3-1）が、災害防止、地球温暖化抑制、水資源貯蓄などの役割を期待する回答が一貫して多かった（林野庁，2018：内閣府，2019）。しかしながら林業・木材産業は、歴史的にみれば天然林減少、さらには温室効果ガス排出源の 1 つとなってきた。日本は戦後、国内においては拡大造林によってブナなどの天然林を皆伐するとともに、フィリピン、インドネシア、マレーシア、パプアニューギニアなどから膨大な木材を輸入することによって、これらの国々の熱帯雨林や地域住民の生活環境を毀損してきた。それらは NGO などから大きな非難を受け（全国自然保護連合会，1989：黒田・ネクトゥー，1989）、林業・木材産業に対する社会的イメージの悪化を招いてきたことは否定できない。前述の世論調査において、1990 年代〜 2000 年代にかけて、森林に期

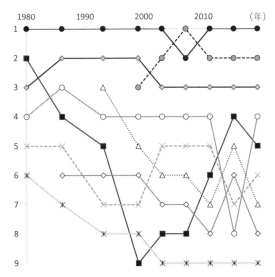

図 3-1　森林に期待する役割の順位

出典：林野庁，2018：内閣府，2019 を改変

注：回答は選択肢の中から３つを選ぶ複数回答。特にない、わからない、その他を除き記載

待する役割として木材の供給源との回答数順位が大きく落ちていたのは、このことが影響していたと考えられる。

　現在でも林業・木材産業は、森林減少、さらには気候変動を引き起こしているビジネスセクターとみなされるリスクを有している。近年東南アジアのオイルパームや、南米の畜牛・大豆などの商品作物生産のための森林の農地への転換が進み、人為的な温室効果ガス排出源の１つとなっている。これを抑制するため、環境情報開示を推進する国際 NGO の CDP は、656 機関投資家（2018 年現在）の署名を背景に、生産地の造成のために森林減少が引き起こされているリスクを有する商品作物を扱っている全世界の民間企業 306 社に対して、自社の取引によって森林減少を引き起こさないための取り組みを行っているかどうかについての情報開示を求める CDP フォレストプログラムを 2013 年から実施している。その対象として、パーム油・畜牛・大豆と並び、木材を取り扱っている民間企業239 社（日本企業 32 社を含む）も、森林減少をもたらすリスクを持つビジネスを行っているとして情報開示が求められている。

　一方、林業・木材産業セクターは、パーム油・畜牛・大豆とは異なり、むしろ

森林を森林のままで維持・拡大していくことに経済的インセンティブを持たせ、空気中の二酸化炭素の吸収・固定に貢献する機能を持ち、さらには木材という再生可能な資源を使うことによって社会の低炭素化に貢献しうる。日本政府が取りまとめた「SDGs アクションプラン 2019」[1] においても、世界の持続可能な森林経営の推進および森林の劣化・減少からの温室効果ガス排出削減（REDD+：Reducing Emissions from Deforestation and Forest Degradation）の支援、国内の治山対策の推進、林業の成長産業化と森林の多面的機能の発揮、「緑の雇用」新規就業者の育成といった林業・木材産業における取り組みによって SDGs 達成を図っていくことが示されている（林野庁，2019）。前述の世論調査によれば、森林の木材供給源としての機能への期待は 2010 年代以降回復しつつあり、林業・木材産業セクターに対するイメージが改善しつつあることを示している。機関投資家にとっては、林業・木材産業は適切なエンゲージメントを行えば、中長期的な経済的・社会的リターンを生み出す投資・融資先としての可能性を持っていると考えられる。

　ESG 投資・融資の観点から林業・木材産業の中長期的な企業価値が評価されていくためには、SDGs をマイルストーンとする社会の持続可能な発展に資する森林や木材の利用拡大を進めなければならないし、その貢献を示していく必要がある。以下では、林業・木材産業の成長が生み出しうる社会的インパクトを概説し、林業・木材産業が社会の持続可能な発展のための重要な担い手と認識され、ESG 投資・融資の主要な対象となるための道筋を考えたい。インパクトの候補としては以下の分野が挙げられる。
- 木材のサプライチェーンを通じた気候変動緩和（SDG13）
- 森林による水源涵養、気候変動適応（SDG13、SDG15）
- 生物多様性の維持（SDG15）
- 地域の社会経済への貢献（SDG8）
- 住・都市環境の提供（SDG11）

3-1. 林業・木材産業がインパクトを与えるポテンシャルを持つ分野

3-1-1. 木材のサプライチェーンを通じた気候変動緩和

　林業・木材産業はそのサプライチェーンを通じ、以下の 3 つのプロセスで温室効果ガス（＝二酸化炭素）の排出抑制や固定に寄与し、地球温暖化による気候変

動の緩和に貢献するポテンシャルを持っている（大熊，2018）。

① 森林の温室効果ガスの吸収

② 伐採木材製品（Harvested Wood Products）による炭素固定

③ 非木材製品を木材製品に代替することによる温室効果ガス排出削減

　EU では実際に①〜③を通じた排出削減・固定量が推定されている（Nabuurs *et al.*, 2015）。EU には 1.59 億 ha の森林（日本の森林面積の約 8 倍）が存在し、2014 年時点で 4.4 億 m^3 の木材生産（日本の素材生産量の約 21 倍）がされている。1990 〜 2012 年の間、年平均で①森林の成長に伴う炭素蓄積によって 435 $MtCO_2$（二酸化炭素換算の重量）固定され、②林外に持ち出された伐採木材製品として 44 $MtCO_2$ が固定され、さらに③木材が化石資源由来の原料を代替することによって 90 $MtCO_2$ 排出削減を達成したと推定されている。この結果、EU の森林と林業・木材産業は EU の温室効果ガス排出総量の 13％ に相当する分を削減したと推定されている。

3-1-1-1. 森林への温室効果ガスの吸収

　植物は光合成によって空気中の二酸化炭素を吸収して自らの構造体を形成し（炭素固定）、酸素を放出している。一方で動物と同様呼吸も行い、逆に酸素を吸収して、二酸化炭素を放出している。

　前述のように木材産業は従来、天然林資源に依存し、東南アジアなどの森林荒廃の要因となった。しかし、2000 年代以降は、輸出用の農業・畜産業が世界の森林減少の最大の要因となっている（Curtis *et al.*, 2018）。特に、南米における肉牛の放牧と大豆栽培、インドネシア・マレーシアにおけるオイルパーム農地の拡大は広大な森林の減少をもたらしている。2007 〜 2016 年の世界の森林からの二酸化炭素排出量は年平均 5.2 Gt で、人為的な二酸化炭素排出量全体の 13％ を占めた（IPCC, 2019）。

　一方、成長段階にある森林は二酸化炭素の吸収・固定量が放出量を上回る。このため、新規植林地、または持続的に管理された生産林やその土壌は温室効果ガスを空気中から隔離することによって、気候変動を抑制する効果を持つ。世界の森林は年間 2 $GtCO_2$（FAO, 2018）、日本の森林はその 3％ の年間 61 $MtCO_2$（温室効果ガスインベントリオフィス，2019）を固定していると推定されている。日本の森林の吸収量は土地セクターを除いた日本の温室効果ガス排出量（1.29 $GtCO_2e$）の 5％ に相当する量である。

1994 年に発行された気候変動枠組み条約（UNFCCC）は、毎年の締結国会議（COP）でその詳細が議論、順次決定される。森林からの温室効果ガス排出を抑制し、吸収を促進させる手段として、2000 年代〜 2010 年代初頭には、クリーン開発メカニズム（CDM）による植林や REDD+ 活動に対する支払いなどの経済的インセンティブが期待された。コンサルタント、商社、第三者認証機関など、もともと森林管理に携わっていなかった産業セクターの企業がビジネス機会を狙って参入し、森林資源の豊富な発展途上国を中心に植林や森林保全プロジェクトを行い、VCS（Verified Carbon Standard）や CCBA（The Climate, Community and Biodiversity Alliance）などの認証を受けたカーボンクレジットを創出し、先進国のボランタリーカーボンマーケットに販売した。最も広く普及した VCS は、2015 年末までに全世界で 55 の植林プロジェクト、42 の REDD+ プロジェクトに対して認証を行った[2]。

　しかし、2013 年の気候変動枠組み条約第 19 回締結国会議以降、世界銀行や緑の気候基金（GCF）が先進国から集めた資金を途上国政府に分配するやり方が REDD+ の主流になるに従い、森林からのカーボントレーディングビジネスへの期待は低下した。2015 年の第 21 回締結国会議で合意されたパリ協定においては、各国は京都議定書のような法的拘束力のある削減目標を持たなくてもよいことになり、カーボントレーディングビジネスへのインセンティブがさらに低下している。

　一方、気候変動に関する政府間パネル（IPCC）が 2018 年に取りまとめた 1.5℃特別報告書（IPCC, 2018）では、地球の平均気温の上昇を 1.5℃以内に抑えなければ、自然環境や社会経済に深刻な被害が生じることが予測されること、しかしエネルギーセクターからの温室効果ガス排出をゼロにしたとしても 1.5℃以下に抑えることは不可能なほどすでに地球温暖化が進行しており、空気中からの温室効果ガスの大規模な除去が不可欠となっていることが報告されている。その除去の手段はネガティブエミッション（Williamson, 2016）と呼ばれ、現在の技術で実現可能な手段として BECCS（Bio-Energy with Carbon Capture and Storage）と植林の大規模な実施が挙げられている。BECCS とは、バイオマス燃料作物を栽培して化石燃料の代替とし、さらにその燃焼時に発生する温室効果ガス（＝二酸化炭素）を回収して地下などに貯蔵する方法であるが、食糧安全保障など気候変動緩和以外の SDGs のターゲットに悪影響をもたらす懸念がなされている。1.5℃特別報告書では、地球の平均気温上昇を 1.5℃以内に抑えることが可能な将来シナリオをいくつか示しているが、いずれにせよ BECCS に加え、大規模な植

林によって、今世紀前半中に森林・農地からの温室効果ガス排出量よりも固定量が上回ることが必要であることが示されている。また、もし 1.5℃以上の平均気温上昇を防げなかったとしても、なるべくそのスピードを遅くさせ、人類が新たな気候環境下に適応できるような技術開発やその社会実装のスピードが気候変動のスピードに追いつけるように努力する必要がある。

　必要とされている世界の森林の大規模な拡大のため、2011 年にドイツ政府と国際自然保護連合（IUCN）の主導によって始まった「ボン・チャレンジ」、2014 年の国連気候サミットにおいて採択された「森林に関するニューヨーク宣言」では、2020 年までに 1.5 億万 ha、2030 年までに 3.5 億万 ha の森林を再生することを目指す目標が掲げられ、50 カ国以上の政府、世界的な大企業、NGO などが署名を行っている。

　また、気候変動枠組み条約パリ協定においては、各国は法的拘束力のある削減義務は負わないものの、先進国・途上国すべての国が排出削減に努力し、2020 年以降の目標とその達成状況を二年ごとに報告することが合意された。各国の目標は「各国が自主的に決定する約束（NDC）」と呼ばれるが、提出した国の 62%が植林、荒廃した森林の再生、既存の森林の保護、持続的管理をその排出削減手段の 1 つとして記載している（Seddon *et al.*, 2019）。

　しかし、誰がこれらの森林再生・保全のための資金や、技術を提供するかが問題である。生物多様性の高い原生林などは国立公園などの厳格な保護制度によって維持される必要があるが、気候変動緩和にインパクトを与えるほどの広大な森林が造成・維持されるためには、造成・維持することで経済的な利益が生まれるような社会制度設計が必要である。カーボントレーディングの行方が不透明な中、2010 年設置された緑の気候基金は、2019 年 1 月時点で 79 億ドルの供出を集め、2019 年 2 月から森林保全プロジェクトへの資金提供を始めているが、途上国の期待からは十分な資金量ではない。このような状況の中で、経済的利益を上げつつ広大な面積の植林、森林再生、持続的森林管理を行い、大気中の温室効果ガスの除去を進めることができる主体として、林業・木材産業セクターの存在感が高まっている。

　欧州委員会は、持続可能な成長に資する経済活動を促進するサステナブルファイナンスの確立に向けた取り組みが活発化しているのを受け、2018 年 3 月に「サステナブルファイナンス行動計画」[3]を発表した。この行動計画に基づき、テクニカル・エキスパート・グループ（TEG）によって 6 つの環境目的（気候変動

緩和、気候変動適応、水・海洋管理、循環経済と廃棄物対策、リサイクル、汚染対策、自然・生態系保全）に資する経済活動を整理・分類した EU タクソノミー[4]の成立が進められている（江夏，富永，2019）が、特に気候変動緩和・緩和については、2019 年 6 月にテクニカルレポートが公開されている。

　林業セクターは、このサステイナブルファイナンスのためのテクニカルレポートの中で、気候変動緩和・適応の両者の担い手となりうる主要な産業セクターの 1 つとして挙げられている。気候変動緩和についての具体的な経済活動は以下のとおりである。

- 新規植林
- 再植林
- 森林の再生
- 既存の森林管理

　ただし、これらの活動がサステイナブルファイナンスの対象となるためには、持続可能な森林管理が行われ、温室効果ガスの固定量が計測され、森林に蓄積された炭素量が維持または増加しており、両者の状況について最低 5 年間隔でモニタリングされていることを要件とすべきであると提案されている。

　また日本においても、2019 年に閣議決定された「パリ協定に基づく成長戦略としての長期戦略」の中で、吸収源の促進のため、間伐、再造林などの森林整備や、成長等に優れた樹種や品種の普及・利用拡大などを促進していく方向が示されている。

　一方で、現在国内においては、戦後に植えられたスギやヒノキの人工林の成熟とともに、皆伐（主伐）による木材生産が増大しているが、木材を収穫した後に適切な再造林ないし天然林への回復が行われず、伐採跡地が草地化した場合、林業・木材産業が気候変動緩和に貢献している産業セクターとみなされることは困難になるリスクがある。このため木材生産を増大させつつ、伐採跡地のモニタリングと状況に応じて何らかの処置をとっていくことが必要である。

　また、輸入材については、木材が合法的に伐採されたことを確認するのみならず、土地利用の転換に伴って伐採された木材ではないことに注意する必要がある。東南アジアなどではオイルパームやアカシアなどのプランテーション造成の際に、天然林伐採が行われことが多いが、その木材が販売できればプランテーションの造成コストを回収できるため、アクセスが多少悪くても立木蓄積量の高い天然林を皆伐してプランテーションを造成することが進んできた。このため、土地

転換由来の木材は、生産される過程で多大な二酸化炭素排出を引き起こしている（＝カーボンフットプリントが大きい）。一方輸入する木材がFSCやPEFCなどの森林認証を受けた森から生産されたものであれば、生産された森林での伐採量が生長量以下に設定され、持続的な森林管理が行われていることが第三者監査によって担保されているので、その生産によって排出された二酸化炭素量は少ない。

3-1-1-2. 伐採木材製品の温室効果ガス固定効果

　前述のように、樹木の光合成作用によって空気中の二酸化炭素が吸収・固定されたものが木材となる。森林は成熟してしまえば二酸化炭素の純吸収量は減少し、最大でも1haあたり数百tの炭素しか貯留できず、日本の森林の年間炭素吸収量は2003年以来減少を続けている（温室効果ガスインベントリオフィス，2019）。また森林火災などの災害があれば、固定された炭素が、再び二酸化炭素になって空気中に放出されるリスクがある。しかし、その木材を伐採して森林外で建築物などの木材製品として長期利用すれば、森林をいつまでも若いまま二酸化炭素の吸収・固定をさせ続けることが可能である。伐採木材製品としての二酸化炭素固定量は全世界で年間335 MtCO$_2$（2015年の値、Johnston and Radeloff，2019）、日本ではその0.4%の1.4 MtCO$_2$（2017年の値、温室効果ガスインベントリオフィス，2019）と推定されている。20年以上前の推計になるが、岡崎・大熊（1998）は日本の全住宅に蓄積されている炭素の総量は1.41億t（＝517 MtCO$_2$）で、日本のすべての森林が蓄えている炭素総量の18%に相当する量が蓄積されていると推定している。

　日本国内では森林の多くが成熟しつつある中で、炭素ストックを増やす手段として、木造建築の意義が高まっている。2019年の「パリ協定に基づく成長戦略としての長期戦略」の中でも、二酸化炭素吸収促進のため、技術開発によって、都市の高層建築などへの木材利用拡大を進めていくとされている。この炭素ストックは伐採木材製品（Harvested Wood Products、HWP）と呼ばれ、2011年の気候変動枠組み条約第17回締結国会議で各国の排出削減量の中にカウントできるようになった。

　ただし、建築物などの伐採木材製品は、その伐採、輸送、製造の各段階で化石燃料が使われ、二酸化炭素の放出が行われるうえ、いったん木材の中に取り込まれ、固定された炭素も、取り壊して焼却、分解されるなかで、最終的には再び空気中に戻ってしまうことに注意する必要がある。過去に製造された伐採木材製品

からの二酸化炭素の放出量が、新たに製造された伐採木材製品への二酸化炭素の固定量を上回れば、伐採木材製品はむしろ二酸化炭素の発生源となる。このため、木材による炭素貯留効果を拡大するために、木材の使用量を増やすだけでなく、再利用を繰り返し、長期にわたって木材として維持することが必要である。

3-1-1-3. 非木材製品を木材製品に代替することによる温室効果ガス排出削減効果

　木材からは、建築・建設材料、家具、紙、燃料などさまざまな製品がつくられる。前述のように森林による温室効果ガス（＝二酸化炭素）固定量には面積あたりの上限がある上、木材製品による温室効果ガスの固定効果は、温室効果ガスの空気中への排出を数年～数十年遅らせ、その間に人類が気候変動に適応する技術開発を行う時間を稼ぐことに貢献するかもしれないが、最終的には廃棄・焼却されるまでの一時しのぎに過ぎず、むしろその製造過程で化石燃料からの温室効果ガスの発生を伴うため、厳密にはカーボンニュートラル（排出量が固定量と同量またはそれ以下）とは言えない。しかし、木材・木材製品の燃料または建築などの材料としての使用が、化石燃料や製造時に温室効果ガスの排出が大きい非木材製品の使用を代替して減少させれば、温室効果ガス排出量の実質的な削減につながる。このためどれぐらいたくさんの木材を使って炭素固定させたかということよりも、木材を使ったことにより、鉄やコンクリートなどの非木材製品の使用をどれぐらいたくさん減らし、温室効果ガスの排出削減に貢献したかという算定をすることが重要である。

　化石燃料によらない再生エネルギー源は、伝統的な薪利用の他、バイオマス、水力、風力、太陽光、地熱などを含み、2014 年の世界のエネルギー消費の 18% に達していた（World Bank, 2017）。この中でバイオマス燃料からのエネルギーは薪利用を除けば、最大のエネルギー供給源を行っている。特に、製材や紙製造産業では製造プラントにバイオマス発電施設を併設し、発生した木材残渣をエネルギー源として利用している企業が少なくないが、このことによって製造している木材製品のカーボンニュートラル性を高めている。

　建築材料間で比較すると、鉄やセメントに比べ、木材を使って製造した住宅は、炭素貯蔵量が大きいだけでなく、製造時の温室効果ガスの排出量（＝カーボンフットプリント）が小さい（大熊, 2003：Hill and Dibdiakova, 2016）。鉄鋼業は日本の温室効果ガス排出量の 12%、セメント製造業は 2% を排出している（気候ネットワーク, 2018）。同量の住宅を供給するとして、鉄やコンクリートで建

設する場合の排出量と木材で建設する場合の差分が、木造住宅を建設することによる化石燃料由来の温室効果ガス排出の削減量となる。その量は計算方法間で大きなばらつきがある（Hill and Zimmer, 2018）が、Hurmekoski（2017）によれば、セメントを木材に 1t 代替するにあたり、材料製造時の温室効果ガス排出量を 2 tCO_2e 削減でき、さらに木材の方が軽量のため、建築物全体の材料使用量を少なくできる。大熊（2003）は、住宅 1 棟を建設するための材料製造時の炭素排出量について、木造[5] は鉄骨プレハブや鉄筋コンクリートに比べ、10 〜 15 炭素 t （=36 〜 55 tCO_2e）程度を少なくすることができると推定している。日本の 2018 年の年間住宅着工件数は 94 万戸、木造率は 57% であった（国土交通省, 2019）が、もし木造率が 100% に増加させれば、単純計算で年間 14 〜 22 $MtCO_2e$（日本の年間排出量の 1% 強）の排出削減が達成されることになる。

3-1-2. 水源涵養、気候変動適応

人類が利用可能な世界の淡水の 75% は森林から供給されている（Eberhardt *et al.*, 2019）が、森林は土壌を保持し、その土壌は降水を貯留し、蒸散を促進する作用を持つことで、河川へ流れ込む水の量を安定化させ、洪水を緩和する機能を持っている。また、雨水が森林土壌を通過することにより、窒素、リンなどの吸着が行われ、水質が浄化される。このような森林の機能は、途上国と先進国、農村部と都市部を問わず下流域の農業や都市機能の維持に大きな役割を果たしている。その機能の維持のため、日本では全国の森林面積の 49%（1,294 万 ha）が保安林として指定され、立木の伐採や土地の形状変更が規制されている（林野庁, 2019）。

地球温暖化による気候変動が進みつつある中、日本ではすでに過去の観測記録を上回るような異常な豪雨が頻繁に発生するようになり、その度に全国各地で激甚な山地災害が発生している。今後さらに、降雨パターンが極端化し、斜面崩壊や洪水頻度が増大することが予測されている（環境省ほか, 2018）が、それに適応して林業・木材産業を維持していくために、治山整備などの対策が必要とされている（林野庁, 2019）。前述の欧州委員会のタクソノミーのテクニカルレポートにおいても、気候変動に適応するために林業を以下のように改善していく必要性が指摘されている。

- 森林火災の早期警戒、防火システムの導入
- 強風の増加に耐えうる樹種・品種、施業方法の導入

- 乾燥に耐えうる樹種・品種の導入や多様化

　前述のように現在、国内では成熟した人工林の皆伐が増加しているが、皆伐施業は数十年かけて形成された森林土壌を流出させ、洪水緩和機能を低下させるリスクを持っており、注意が必要である。例えば 2019 年の台風 19 号では東北地方で皆伐跡地で土砂崩れが多発したことが報道されている（毎日新聞 2019/12/17）。今後は、気候変動の深刻化に対応した施業方法の改良や実装を進めていく必要があるだろう。

　一方で、気候変動への適応のために、森林などの生態系を活用した防災・減災（Ecosystem-based Disaster Risk Reduction：Eco-DRR）などのグリーンインフラの役割がさらに重要になることも予測されている。森林などの生態系を活かした気候変動緩和策や適応策は、自然を基盤とした社会課題解決（Nature Based Solution）手法として近年注目を集めているが、林業セクターについてもその大規模な実施のための担い手として関心が高まることが予想される。

　欧州委員会のサスティナブルファイナンスのためのテクニカルレポートにおいても、森林は気候変動への適応について、以下のように貢献すると指摘し、林業セクターを気候変動適応に有益な経済活動と評価している。

- 都市部の高温抑制
- 強風や浸食による被害抑制
- 降水の土壌への浸透、保持による洪水の抑制
- 土壌流出、海岸浸食、山崩れの抑制

　ただし森林が土壌水分に与える作用については、むしろ人間にとって不都合な影響を引き起こす可能性もあることに注意が必要である（蔵治，2012）。森林が土壌中の水分の蒸散を促進して河川流量を減少させ、乾燥地域では農業への水資源不足を引き起こすケースがある、また渇水緩和機能と洪水緩和機能はトレードオフの関係にあり、両者を同時に最大化することは困難であることも指摘されている（蔵治，2012）。

　さらに森林の土壌保持による災害抑制機能については、樹木の根の深さはせいぜい 2 m程度であり、地上植生の有無と関係する表層崩壊の抑制には効果があるものの、岩盤の性質が主な要因となる深層崩壊の発生を抑制することはできない。2017 年の九州北部豪雨では、斜面崩壊によって、大量の流木が発生して下流に深刻な被害を与え、その対策として、崩壊する可能性の高い急傾斜地や渓岸では、

むしろ伐採によってあらかじめ立木を少なくしておくべきという対策が提言されている（久保田ら，2018）。このため、気候変動が深刻化していく中で，既存の土木技術と、グリーンインフラによる対策をどのように組み合わせていくのが効果的なのかという知見の蓄積が求められる。

3-1-3. 生物多様性保全

　天然林、特に熱帯の天然林は高い生物多様性を擁する。東南アジアにおける天然林伐採は 1 ha あたり数本のみを収穫する択伐施業が一般的だが、対象となる林分の面積で 50％以上の破壊を伴い、生物多様性に深刻な影響を与えることが懸念されてきた(Johns, 1988)。しかし近年では、択伐を受けた天然林であっても、その人為的攪乱の強度が十分に弱ければ原生林の生息種の多くが生存可能であることが明らかになりつつある。マレーシアのサバ州では州全域でのオランウータン個体群調査から、州内に生息するオランウータンの 6 割以上が保護区外（主に択伐生産林）に分布することが明らかになった（Ancrenaz *et al.*, 2005）。オランウータンやゾウ、トラなどのような大型哺乳類は広い生息域（ホームレンジ）を持ち、十分な個体群が将来にわたって維持されるためには、島状に設定された原生林保護区では不十分で、それをつなぐ天然林の存在が重要である。広大な天然林がオイルパームや紙・パルプの原料となる早生樹プランテーションに転換されることなく維持されるためには、今後も天然林樹種の木材が市場で評価され、その択伐生産林が持続的に管理されることが必要である。

　インドネシア、マレーシアなどの熱帯材輸出国では近年、FSC や PEFC の持続可能な森林管理認証を受けた天然林択伐施業区が拡大しつつある（Samejima, 2019）。森林認証を受けている天然林は比較的丁寧に管理され、樹木や哺乳類の多様性が高く維持されていることが明らかになりつつある（Putz, 2012：Samejima and Hon, 2019：Samejima *et al.*, 2019）。日本は合板などの熱帯材を輸入する際にはこれらの認証林で生産された木材やその製品を積極的に選択すべきであろう。

　また欧州や北米においても、人工林の皆伐の際に老齢木や大径木を残して元々の生物多様性や生態系機能を維持させる「保持林業（Retention forestry）」が広がりつつあり、北欧の一部の国では森林認証の要件となっている（山浦・岡，2018）。日本においても、島状に孤立した天然林のみでは生物多様性を維持することは困難であることが示されており（山浦，2007）、保持林業の実験や、社会

実装の可能性の検討が始められている（尾崎ら，2018：柿澤，2018）。

　将来の気候変動下においては、野生動植物の生息適地が現在と大きく変化し、天然林が孤立した島状に残された状態では多くの動植物は将来の生息適地に移動できず、絶滅してしまうことが予想されている（環境省ほか，2018）が、森林管理方法のイノベーションによって人工林における生物多様性維持機能も回復させることにより、気候変動が進んでもランドスケープレベルでの生物多様性の維持を可能にすることができる。

3-1-4. 地域の社会経済への貢献

　森林セクターは世界では1,400万人に正規雇用を提供し、間接的な影響を含めれば4,500万人に雇用を提供していると推測されている（World Business Council for Sustainable Development，2019）。2015年農林業センサスによれば、日本国内には林家が83万戸、素材生産を行う林業経営体（森林組合、民間企業など）が1.0万存在し、林業従事者は約4.5万人であった（林野庁，2019）。国内の素材生産は北海道、東北、九州などで盛んであり、これらの地域では近年、製材工場や合板工場が大規模化し、広域な原木集荷圏から調達を行うようになっており（森林総研，2011）、地域の社会経済に貢献していると考えられる。

　しかし、素材価格、山元立木価格は依然として低迷を続けており（林野庁，2019）、近年の木材生産量の拡大が木材の生産地域の社会経済にどれほど貢献しているかについては十分に明らかになっていない。林（2011）によれば、秋田県では大規模な合板工場が2011年ごろから国産材を使用し始めており、県内の素材生産量全体の増加をもたらしている。しかしながら、2006年に県内の森林所有者に行ったインタビュー調査では、木材伐採収入の増加には必ずしもつながっていないとの結果を得、素材生産業者と森林所有者の情報の非対称性などがその要因となっていると考察している。

　日本が木材・木材製品を輸入している東南アジア諸国においては、かつては木材生産は民間企業による国有林内での大規模な商業伐採によって主に行われており、周辺住民の生計への貢献は少なく、しばしば環境・社会面での被害を引き起こしてきたが、近年は地域住民自身が私有地で行う木材生産が盛んになり、日本への輸入量も増えている（鮫島，2018）。インドネシアのジャワ、フィリピンのミンダナオでは合板や集成材（ランバーコア）の原料となるファルカタの栽培が急増し、ベトナム中・北部ではチップ原料用のアカシアやユーカリの栽培、タイで

は製材用のゴム廃材や、紙パルプ原料用のユーカリ生産が盛んになりつつある。これらの地域では元々政府や ODA による森林再生事業が行われていたが、住民が育てた樹木を原料として購入する大型木材加工工場が設立され、仲買事業者のネットワークが形成されていくに従い、急速に植林面積が拡大し、資源の増大がさらに新規の木材加工事業者を呼び込むという好循環が起きている。日本の木材産業が輸入材の中でもこれらの住民によって生産された木材を使っていくことにより、地域住民の生活向上にも貢献することができる。

3-1-5. 住・都市環境の提供

　日本においては現在でも木造住宅の人気が高い。2019 年に行われた森林と生活に関する世論調査（内閣府，2019）においても、「仮に今後、住宅を建てたり買ったりする場合、どのような住宅を選びたいと思うか」という質問に対し、「木造住宅（昔から日本にある在来工法のもの）」の割合が 48％、「木造住宅（ツーバイフォー工法など在来工法以外のもの）」の割合が 26％で、木造住宅の合計が 74％であった。林業・木材産業はこれらの需要を満たす担い手として今後も重要な役割を果たしていくであろう。

　また、木材産業の技術開発努力の結果、構造用合板によって木造建築の耐震性を高め、CLT（直交集成板）や木質耐火部材などの開発などによって、従来木造では建築できなかった大規模な建築物など、人間の要求に合わせたさまざまな木造建造物を建築することが可能になりつつあり、さらに住・都市環境の向上に貢献していくことが期待される。

3-2. 社会の持続的発展の担い手としての林業・木材産業の将来

　SDGs 達成の担い手として民間企業が果たせる役割は、個々の事業内容によって異なる。企業活力研究所（2017）は東証一部、二部、マザーズ上場の全企業に対してアンケート調査を行い（有効回答数 143 社）、各社が事業の中で重視している SDGs 課題について質問をしているが、持続可能な生産と消費の確保、気候変動対策（排出削減）、エネルギー供給、健康と福祉、水・衛生などを挙げている企業が多かった。一方、林業・木材産業セクターは、これまで述べてきたように、他の産業セクターが有しない以下の 2 つの機能を持っている。

- 木材製品のサプライチェーン（造林、製造、廃棄）を通して温室効果ガスの吸収・

固定を行い、化石資源からの排出を抑制して気候変動を緩和
- 森林とその多面的機能（気候変動への適応、生物多様性の維持など）の維持・拡大

　また、以下の2点の機能についても強い優位性を持っていると言える。
- 地域の社会経済への貢献
- 快適な住・都市環境の提供

　前述のように、森林保全に対するビジネス機会として、2000年代〜2010年代初頭にはカーボンクレジットの売買が期待され、林業・木材産業以外の産業セクターの関心が高まった。しかし近年は森林からのカーボントレーディングビジネスへの期待が下がる一方で、林業・木材産業が、経済的な収益を上げつつ森林保全、炭素吸収・固定を促進することができる担い手として見直され、ESG投資・融資が集まるようになってきている。

　スウェーデンの国有林の14％を管理している国営林業会社 Sveaskog は2017年に、その FSC 認証林からの持続的木材生産に対して約1億米ドルのグリーンボンドの起債を行った[6]。日本においても、住友林業は2018年に、ニュージーランドで取得した FSC 認証林の取得時の短期借入金の返済に対し、100億円分のグリーン転換社債の販売を行った[7]。また、国際金融公社（IFC）はラオスおよびインドネシアで早生樹プランテーション事業への投資を行い、その条件として地域住民の参加や、アグロフォレストリーの導入を促すことをあげている[8]。

　機関投資家の意思決定プロセスに ESG 課題を（受託者責任の範囲内で）反映させることを進めているイニシアティブの PRI（責任投資原則, Principles for Responsible Investment）は、林業セクターに対する ESG 投資を促進するため、「林業への責任ある投資入門（PRI, 2019）」を出版した。さらに投資家が林業セクターの事業者と対話を行う際に何を質問すべきかというデューデリジェンス質問票も公開している。またインパクト投資（第一章参照）推進のイニシアチブ Global Impact Investing Network（GIIN）も、林業セクターに対するインパクト投資家へのヒアリングをまとめた「林業に対するインパクト投資（Bass *et al.*, 2019）」を発表している。

　冒頭で述べたように、かつて林業・木材産業は森林破壊の原因として社会的イメージが高くない時代があったが、現在はむしろ森林の維持や低炭素社会の担い手としてポジティブな評価を受けつつある。同様に社会的イメージの再生に成功

した産業の一つに自動車製造産業がある。かつて自動車製造産業は公害や交通事故の原因として非難を浴びていた（宇沢，1974）が、安全化、低公害化、気候変動問題への取り組み（ハイブリッド車や水素自動車の開発など）によって、現在で社会的に高い評価を受ける産業セクターの一つになることに成功している。林業・木材産業も、その持続的な成長のためには、社会の低炭素化・脱炭素化、今後深刻化することが予測されている気候変動に適応するためのグリーンインフラ整備の主要な担い手として自らを位置づけ、積極的に事業内容の見直しを図っていく必要があるであろう。そのような努力が林業・木材産業の魅力を高め ESG 投資・融資といった中・長期的なファイナンスや、能力のある人材の確保にも資すると考えられる。

（鮫島弘光）

注

1）https://www.kantei.go.jp/jp/singi/sdgs/pdf/actionplan2019.pdf

2）https://www.vcsprojectdatabase.org/#/home

3）https://ec.europa.eu/info/publications/180308-action-plan-sustainable-growth_en

4）https://ec.europa.eu/info/publications/sustainable-finance-teg-taxonomy_en

5）なお、木造住宅であっても、その製造時の炭素排出量の過半を占めるのは土台などに使われるコンクリート製造の際の排出と推定されている。

6）http://nordsip.com/2017/11/02/new-framework-for-green-bonds-in-forestry/

7）https://rief-jp.org/ct4/82932

8）https://www.climateinvestmentfunds.org/sites/default/files/IFC_FIP_PCM_June15.pdf

参考文献

Ancrenaz, M., O. Gimenez, L. Ambu, K. Ancrenaz, P. Andau, J. Payne, A. Sawang, A. Tuuga, and I. Lackman-ancrenaz. 2005. Aerial Surveys Give New Estimates for Orangutans in Sabah , Malaysia. PLoS Biology 3.

Business & Sustainable Development Commission. 2017. Better Business Better World.

CDP. 2019a. The Money Trees.

CDP. 2019b. CDP フォレストレポート 2018：日本版 .

Eberhardt, U., E. Springgay, V. Gutierrez, S. Casallas-Ramirez, and R. Cohen. 2019. Advancing the Forest and Water Nexus.

FAO. 2018. The State of the World's Forests 2018 - Forest pathways to sustainable development. Rome.

Hill, C. A. S., and J. Dibdiakova. 2016. The environmental impact of wood compared to other building materials. International Wood Products Journal 7:215–219.

Hill, C., and K. Zimmer. 2018. The Environmental Impacts of Wood compared to Other Building Materials. NIBIO RAPPORT 4.

Hurmekoski, E. 2017. How can wood construction reduce environmental degradation ?

IPCC. 2018. Global Warming of 1.5℃. An IPCC Special Report on the impacts of global warming of 1.5℃ above pre-industrial levels and related global greenhouse gas emission pathways, in the context of strengthening the global response to the threat of climate change,. Page A Companion to Applied Ethics.

Johnston, C. M. T., and V. C. Radeloff. 2019. Global mitigation potential of carbon stored in harvested wood products. PNAS:1–24.

Nabuurs, G., P. Delacote, D. Ellison, M. Hanewinkel, M. Lindner, M. Nesbit, M. Ollikainen, and A. Savaresi. 2015. A new role for forests and the forest sector in the EU post-2020 climate targets.

Samejima, H., M. Demies, M. Koizumi, and S. Fujiki. 2019. Above-Ground Biomass and Tree Species Diversity in the Anap Sustainable Development Unit, Sarawak. 181–207 Anthropogenic Tropical Forests. Springer.

Samejima, H., and J. Hon. 2019. Diversity of Medium- to Large-Sized Ground-Dwelling Mammals and Terrestrial Birds in Sarawak. 149–170 Anthropogenic Tropical Forests. Springer.

Seddon, N., S. Sengupta, I. Hauler, and A. R. Rizvi. 2019. Nature-based Solutions in Nationally Determined Contributions: Synthesis and recommendations for enhancing climate ambition and action by 2020. IUCN and University of Oxford, Gland, Switzerland and Oxford, UK.

World Business Council for Sustainable Development. 2019. Forest Sector SDG Roadmap.

World Bank. 2017. Global Tracking Framework 2017: Progress Towards Sustainable Energy. World Bank, Washington, DC.

宇沢弘文 . 1974. 自動車の社会的費用 . 岩波書店 .

江夏あかね, 富永健司 . 2019. EU におけるサステナブルファイナンス確立に向けた動き―タクソノミー、グリーンボンド基準、ベンチマーク、開示をめぐる進展―. 野村資本市場クォータリー :1–13.

大熊幹章 . 2003. 地球環境保全と木材利用 . 全国林業改良普及協会 .

大熊幹章 . 2018. 木材時代の到来に向けて . 海青社 .

岡崎泰男, 大熊幹夫 . 1998. 炭素ストック、CO2 放出の観点から見た木造住宅建設の評価 . 木材工業 53:161–165.

加藤康之 . 2019. ESG 投資の研究 . 一灯舎 .

環境省, 文部科学省, 農林水産省, 国土交通省, 気象庁 . 2018. 気候変動の観測・予測及び影響評価統合レポート 2018.

久保田哲也, 武田剛, A. S. Soma, 水野秀明 . 2018. 平成 29 年九州北部豪雨による林地荒廃と立木発生の特徴 . 第 67 回 平成 30 年度砂防学会研究発表会 :23–24.

蔵治光一郎 . 2012. 森の「恵み」は幻想か . 化学同人 .

黒田洋一, フランソワ・ネクトゥー . 1989. 熱帯林破壊と日本の木材貿易 .

鮫島弘光 . 2018. 東南アジアにおける住民主体型の木材産地形成 . 木材情報 329:5–12.

全国自然保護連合会 . 1989. 自然保護辞典①山と森林 . 緑風出版 .

内閣府 . 2019. 森林と生活に関する世論調査 .

林雅秀 . 2011. 秋田県における山林所有者への影響と評価 . 森林総合研究所編 . 山・里の恵みと山村振興 . 日本林業調査会 .

水口剛 . 2019. サステナブルファイナンスの時代―ESG/SDGs と債券市場 . 金融財政事情研究会 .

林野庁 . 2018. 平成 29 年度 森林・林業白書 .

林野庁 . 2019. 平成 30 年度 森林・林業白書 .

第4章

他社の取り組み事例を知る

積水ハウス株式会社

基本情報

社名：積水ハウス株式会社

本社所在地：大阪市北区大淀中 1 － 1 － 88 梅田スカイビルタワーイースト

設立年：1960 年

資本金：2,025 億 9,120 万円

主な事業：建築工事の請負および施工・建築物の設計
および工事監理・造園工事および外構工事
の設計、請負、施工および監理並びに樹木
の育成および売買

売上高：2 兆 1,603 億円（2018 年度）

営業利益：1,892 億円（2018 年度）

従業員数：24,775 人（2019 年 1 月 31 日現在）

特色：戸建住宅を出発点に賃貸住宅、分譲住宅、マンション、リフォーム、不動
産、都市再開発、国際事業など事業領域を拡大しており、建築実績は累計で 244
万戸を突破した。「SLOW & SMART」のブランドビジョンのもと、各事業の技術・
ノウハウ・実績を生かし、社会と暮らしに新たな価値を提供し続ける。

SDGs と経営戦略

　当社グループは、2005 年に「サステナブル・ビジョン」を発表し、「持続可能
性」を経営の基軸に据えることを宣言した。これは SDGs の方向性を先取りする
もので、以降、住まいからの CO_2 排出ゼロを目指す「2050 年ビジョン」（2008 年）
を策定し、「住」を通じた社会課題解決の可能性を追求してきた。

　2018 年には、SDGs 等の世界的潮流を踏まえ、グループの目指す総合的な長期
ビジョンとして「サステナビリティビジョン 2050」を策定した。その中で「脱炭素」
「人と自然の共生」「資源循環型社会」「長寿推進・ダイバーシティ社会」の 4 つ
を揚げ、これまでの実績、2030 年の目標、CSV 戦略等を整理している。

人と自然の共生〜生物多様性の保全

　生物多様性を基盤とする生態系が提供する「生態系サービス」は、私たちの衣食住を支えている。また、社会課題の解決に取り組む企業の事業活動においても、原材料調達などの面から強い関係を有している。

　当社においては、①都市生態系の劣化、②調達におけるトレーサビリティの重要性、を課題として認識しており、対策として①「5本の樹」計画による地域の生態系に配慮した在来種植栽推進、②合法で持続可能な木材「フェアウッド」の利用促進の取り組み、を行っている。

「5本の樹」計画

　園芸品種や外来種を多用せず、生態系に配慮した、地域の生物にとって活用可能性の高い「在来種」を積極的に提案する造園緑化事業を2001年から推進している。「3本は鳥のために、2本は蝶のために、地域の在来種を」という思いをこめ、「5本の樹」計画と名づけている。

　実施に当たっては、地域の植木生産者および造園業者のネットワークと連携し、従来、市場流通の少なかった在来種の安定的な供給体制を確保した。本計画の推進により、生き物と共生する暮らしの豊かさと、環境保全における意義を生活者に提案している。

　2018年度は年間93万本の植栽を、全国の戸建て住宅や集合住宅の庭に行い、累計植栽本数は1,502万本となった。東京都における街路樹の本数が94.4万本であることを考えると、1企業で都市環境の向上に大きく貢献していると言える。

また、「5本の樹」計画実施の前後に、「5本の樹」いきもの調査を行っている。これにより、鳥や昆虫などの生息状況に代表される生態系の現況を実際に観察し、周辺地域との比較を行うとともに、植栽の成長に伴う生態系の経年変化を記録・分析し、「5本の樹」計画による生物多様性の保全効果の検証も行っている。

合法で持続可能な木材「フェアウッド」の利用促進

　当社は住宅メーカーとして、1年間で約30万m³の木材を購買している。原材料調達における社会的影響力と責任が大きいことから、2007年に策定した「木材調達ガイドライン」に沿って、環境に配慮し、社会的に公正な「フェアウッド」調達に継続的に取り組んでいる。同ガイドラインでは、合法性はもちろんのこと、生物多様性や生産地の経済、伐採地の住民の暮らしまで視野に入れた10分野の

「木材調達ガイドライン」10の指針
①違法伐採の可能性が低い地域から産出された木材
②貴重な生態系が形成されている地域以外から産出された木材
③地域の生態系を大きく破壊する、天然林の大伐採が行われている地域以外から産出された木材
④絶滅が危惧されている樹種以外の木材
⑤生産・加工・輸送工程におけるCO_2排出削減に配慮した木材
⑥森林伐採に関する地域住民等との対立や不当な労働慣行を排除し、地域社会の安定に寄与する木材
⑦森林の回復速度を越えない計画的な伐採が行われている地域から産出された木材
⑧計画的な森林経営に取り組み生態系保全に寄与する国産木材
⑨自然生態系の保全や創出につながるような方法により植林された木材
⑩資源循環に貢献する木質建材

調達ランク

	合計点（最大43点）	調達ランク
各調達指針の合計点で評価対象の木材調達レベルを高いものから順にS、A、B、Cの4つに分類。10の指針の中で特に重視している①と④に関しては、ボーダーラインを設定。	34点以上	S
	26点以上、34点未満	A
	17点以上、26点未満	B
	17点未満	C

主要指標の実績（KPI）

指標	単位	2014年度	2015年度	2016年度	2017年度	2018年度	目標	定義
「木材調達ガイドライン」SおよびAランク木材比率	%	91	93	93	92	94	95	当社による約50社の主要木質建材サプライヤーに対する実態調査結果

「フェアウッド」調達量とランク内訳 (万m³)

■ Sランク　■ Aランク　■ Bランク　■ Cランク

伐採地域別割合

※1 アジア：国産材を含む　※2 北洋：ロシアなど　※3 南洋：インドネシア、マレーシアなど　※4 その他：アフリカ、木廃材を含む

　調達指針を設けており、各指針での評価点の合計で評価対象の木材を４つの調達ランクに分類し、評価が低い木材を減らし、S・Aランク木材を増やす方向で「フェアウッド」調達を進めている。また、コミュニティ林業の育成にも配慮している。

　森林認証材であることを単独の調達目標としていないが、当社で利用する内装設備まで含むすべての木質建材の64.3%、構造材に限れば99.8%が認証材（認証過程材を含む）となっている。また、2018年３月にはクリーンウッド法に基づく「登録木材関連事業者」への登録を完了した。

国産材の取り組み

　国内の状況に目を向けると、戦後植林された森林資源が利用期を迎えており、当社でも前掲の「木材調達ガイドライン」に沿って国産材を積極的に調達していきたいと考えている。

　当社の特色として、単に「国産材」とするのではなく、より細分化した「地域ブランド材」としての展開が挙げられる。

　これにより、施主に対し、木材調達における社会貢献、地域振興、国産材の価値向上といった国産材の魅力を身近に感じていただいている。また、川上のステークホルダーにも誇りを持って材料を供給いただける機会となっている。この取り組みはSDGsのゴール15（森林保全）のみならず、消費者の意識改革や地域の林業振興（ゴール12）などに寄与するものと考えられる。

　現在では15地区16ブランドを供給しており、ブランドは今後も順次拡大予定である。

　柱に国産材を採用した物件の採用率も現在は30%を超え、累積棟数も4,000棟を突破した。

住友林業株式会社

明治期に銅山経営の影響で荒廃した
別子の山並み（住友資料館所蔵）

基本情報

社名：住友林業株式会社

本社所在地：東京都千代田区大手町 1 丁目 3 番地 2
号

設立年：1948 年（創業 1691 年）

資本金：326 億 7,200 百万円

主な事業：資源環境事業、木材建材事業、海外住宅・
不動産事業、住宅・建築事業、生活サー
ビス事業、緑化事業ほか

売上高：1 兆 3,089 億円（2018 年度）

営業利益：492 億円（2018 年度）

特色：国内で約 4 万 8,000ha（国土面積の約 800 分
の 1）、海外で約 23 万 ha の山林を経営・管理。上
述の事業や木造戸建注文住宅事業、中大規模建築

現在の別子の山並み

物の木造化・木質化を推進する木化（もっか）事業、介護事業、バイオマス発電
事業など、木と人々の生活に関するさまざまなビジネスをグローバルに展開して
いる。

SDGs と経営戦略

　1691 年、別子銅山開坑に伴う鉱山備林経営が住友林業の創業だが、明治期に
入ると、過伐採と製錬時の煙害により別子銅山は一木一草ない禿山と化してしま
う。大地からの恵みで事業を行っていながら自然を荒廃したままにしておくこ
とはできないと、「大造林計画」を開始したのは 1894 年のこと。多い年には年間
200 万本以上を植林し、青々とした森に再生させた。「公正、信用を重視し社会
を利するという『住友の事業精神』に基づき、人と地球環境にやさしい「木」を
活かし、人々の生活に関するあらゆるサービスを通じて持続可能で豊かな社会の

実現に貢献」することは経営理念に謳われており、SDGs は既に経営の中心に据えられているといえる。

マテリアリティの特定：財務諸表に表れてこない非財務情報を効率的に管理するため、2,700 名を超える社内外のステークホルダーによるアンケート結果と経営層の視点から CSR の重要性判断を行い、2008 年に続き 2015 年に新たな重要課題を特定。木質バイオマスの再エネ発電量や木質チップの集荷・販売量のほか、認証木材の販売比率など、SDGs の課題解決に向けた具体的な中期目標を設定し、各事業本部・グループ子会社それぞれが PDCA の手法で管理している。

中期経営計画との一体化：2019 年 5 月に発表した「住友林業グループ中期経営計画 2021」では、「事業と ESG への取り組みの一体化推進」を基本戦略の 1 つに掲げ、「サステナビリティ編」として非財務目標を組み込んだ。2018 年 7 月にSBT に認定を受けた温室効果ガス長期削減目標（2030 年度目標：2017 年度比21％削減（スコープ 1、2））についても、各事業本部の中期計画に織り込まれている。これら非財務目標は、社長を委員長とする ESG 推進委員会で進捗管理され、対外開示されている。

　TCFD（気候変動関連財務情報開示タスクフォース）提言への賛同を表明する住友林業グループは、気候変動対策を含む SDGs への貢献に向けた、中期経営計画「サステナビリティ編」の着実な実施と、透明性をもった適時開示を行っていく。

重要課題	目標	貢献するSDGs
持続可能性と生物多様性に配慮した木材・資材調達の継続	1 地球温暖化対策や生物多様性保全と両立する山林経営 2 持続可能な森林資源の活用拡大 3 持続可能なサプライチェーンの構築	
安心・安全で環境と社会に配慮した製品・サービスの開発・販売の推進	4 環境配慮型商品・サービスの拡大 ※脱炭素社会に向けた温室効果ガス排出量削減（SBT：スコープ3）を含む 5 生物多様性に配慮した環境づくり 6 社会課題の解決に貢献するビジネスの拡大 7 持続可能で革新的な技術開発の推進	
事業活動における環境負荷低減の推進	8 脱炭素社会に向けた温室効果ガス排出量削減（SBT：スコープ1・2） 9 資源保護および廃棄物排出削減とゼロエミッションの達成 10 水資源の節減・有効利用	
多様な人財が能力と個性を活かし、いきいきと働くことができる職場環境づくりの推進	11 多様な発想と働きがいで活力を生む職場づくり 12 若年層育成と高齢者活用による人財の確保 13 働きかた改革による長時間労働の削減 14 労働災害事故の撲滅	
企業倫理・ガバナンス体制の強化	15 リスク管理・コンプライアンス体制の強化	

住友林業グループのサステナビリティ重要課題と SDGs

大建工業株式会社

基本情報

社名：大建工業株式会社

本社所在地：大阪市北区中之島三丁目2番4号

設立年：1945年

資本金：153億円（2019年3月31日現在）

主な事業：素材事業、建材事業、
エンジニアリング事業

売上高：1,829億円（2018年度）

営業利益：57億円（2018年度）

従業員数：3,287名（2019年3月31日現在）

特色：当社グループは「建築資材の総合企業」を目
指し、住宅から公共・商業施設まで、幅広い建物の安全性や快適性の向上を実現
する多彩な建築資材を提供している。70年余の歴史の中で培った技術で、機能
性の高い素材を開発・提供する「素材事業」、これらの素材を利用してさまざま
な建物の内装に最適な建材を開発・提供する「建材事業」、建材の提供から施工
まで空間づくりをトータルにサポートする「エンジニアリング事業」の3つのコ
ア事業を展開している。

SDGsと経営戦略

　当社は木材加工業を祖業としている。創業当時から木材を貴重な資源として無
駄なく使い尽くすという発想を持ち、解体古材や端材を有効利用して新たな付加
価値を創造する技術開発に取り組んできた。これらが現在の木材へのこだわりや
環境配慮の考え方につながっている。また、当社の素材をベースに建材や空間づ
くりへと事業領域を拡大してきた歴史は、新たな付加価値を付与するための技術
を磨き、時代ごとの社会課題およびニーズを捉えて用途開発を進めてきた歴史で
もあり、SDGsの考え方にも通じるところである。

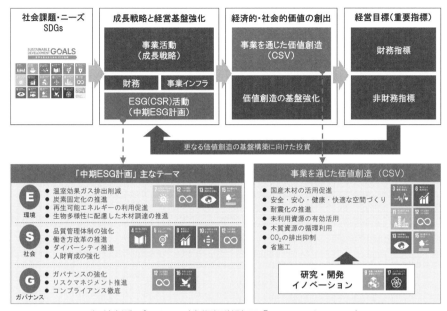

価値創造プロセス（中期経営計画「GP25 2nd Stage」）

　当社グループは、2025年を見据えた長期ビジョン「GP25」を策定し、その実現に向けて３つの成長ステップ（中期経営計画 1st ～ 3rd Stage）をロードマップとして設定し、実行している。長期ビジョンでは、「限りある資源の有効活用を通じてサステイナブルな社会の実現に貢献する」を存在意義・志として掲げており、持続可能性を目指して社会課題解決に貢献する SDGs の考え方は、当社が目指している姿とリンクしている。

　2019年度からスタートした中期経営計画「GP25 2nd Stage」では、ESG や SDGs との連動性をより重視している。「成長戦略の加速」とその成長を下支えする「経営基盤の強化」を基本方針とし、事業活動を通じた『社会課題の解決』を追求することで、持続可能な ESG 経営を実践し、経済的・社会的価値を創造していく。「成長戦略の加速」では、SDGs を活用し、より具体的な事業に落とし込み、新たな素材事業等の可能性を追求していく。また、「経営基盤の強化」では「ESG 経営の実践」を具体化するため、「中期 ESG 計画」を SDGs と関連づけて策定した。中期 ESG 計画において重要な目標については非財務の経営目標として設定し、より実効性を高め、取り組んでいる。

【事例 1】木質資源の循環利用による CO_2 の排出抑制

　SDGs やパリ協定の採択を背景に、限りある資源を有効に活用する循環型社会の形成や、地球温暖化に伴う気候変動への対策を着実に推進していくことがグローバルな課題となっている。

　当社グループでは、製材の端材を原材料とした MDF や、従来は燃やされたり廃棄されたりしていた建築廃材を原材料とするインシュレーションボードなど、木質資源を有効活用した各種素材を製造している。

　木質資源は、他の資源と異なり、伐採後に植林すれば再生可能な資源である。長期間にわたってマテリアルとして循環利用することにより廃棄物を減らすだけでなく、炭素を固定し続けることで、CO_2 の排出抑制にもつながる。今後も木質資源の循環利用の可能性を追求し、循環型社会の形成、さらに地球温暖化防止にも貢献していく。

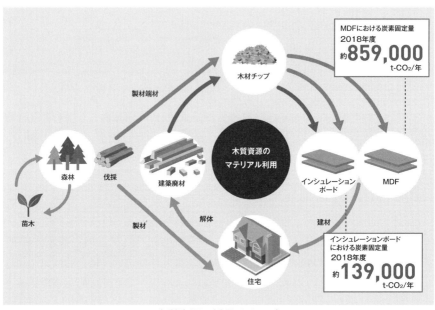

木質資源の循環イメージ

【事例2】耐水性に優れた独自開発MDFで国産木材の活用促進

日本は国土の約3分の2が森林で覆われる世界有数の森林大国である。CO_2の吸収や土砂災害防止など、さまざまな機能を果たす森林を健全に育てるため、国産木材の積極活用が求められている。日本政府も、2025年までに木材自給率を50%に高めることを目指している。

当社は、床材の国内トップメーカーとして培ったノウハウと、耐水性や表面の平滑性に優れた当社独自のMDF技術を活かし、国産木材を用いた床基材を開発した。現在も改良を重ね、2014年度は4%程度だった床基材の国産木材利用率を2018年度には約33%まで高めた。今後も国産木材の魅力を引き出す製品開発を進め、さらなる活用促進を図っていく。

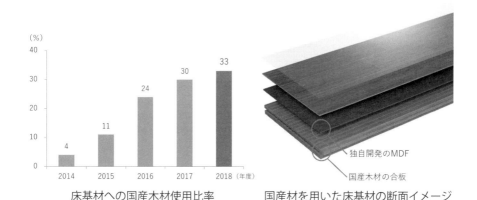

床基材への国産木材使用比率　　　　国産材を用いた床基材の断面イメージ

独自開発のMDF
国産木材の合板

【情報公開】

当社グループの事業活動やESGに関する取り組みを、ステークホルダーへわかりやすく伝えるため、中長期のビジョンや経営戦略、財務情報、ESG情報を中心とした非財務情報などをまとめた統合報告書「DAIKENグループレポート」を発刊し、当社ウェブサイトでも公開している。

また、「DAIKENグループレポート」に掲載されていない環境データなどESG情報の詳細についても当社ウェブサイトにて公開している。

ナイス株式会社

基本情報

社名：ナイス株式会社

本社所在地：神奈川県横浜市鶴見区鶴見中央 4-33-1

設立年：2007 年

資本金：90 億円

主な事業：建築用資材の国内流通・輸入販売事業、住宅分譲・不動産仲介事業

売上高：2,441 億 8,300 万円（2018 年度）

営業利益：14 億 5,600 百万円（2018 年度）

従業員数：2,654 名（2019 年 3 月 31 日現在）

特色：当社グループは「耐震」「健康」「環境貢献」を事業のテーマとして掲げ、それらに共通するキーワードとして「木材利用の拡大（国産材・住宅・非住宅）」に努め、木材・建築資材の販売から住宅の供給、建築物の木造化・木質化を推進している。

SDGs と経営戦略

　世界的な規模で地球温暖化防止対策への取り組みが進む中、当社グループは木材流通をはじめ、木造建築等をドメインとする事業を通じて「脱 CO_2」社会の実現に向けた積極的な提案を推進している。また、企業経営において「SDGs」への積極的な取り組みが求められる中、耐震、環境貢献、健康および国産材の活用といった事業方針を推進し、グループを上げて戦略的に対応している。

  持続可能な森林経営に貢献する大径材の活用促進

　現在、日本の森林資源は充実し、主伐期を迎えている。中でもスギは全国に広く分布しており、蓄積量は年々増加している。一方、樹齢 46 年を経過した 10 齢級以上の人工林が過半を占めており、成育途中にある CO_2 吸収量が多い若齢級

の森林面積が少ない「少子高齢化」状態となっている。樹木の炭素固定量は樹齢とともに変化していくものであり、一定の樹齢まで増加した後、樹木が成熟するのに伴って減少していく。

このため、森林のCO_2吸収能力を最大限に発揮させ、地球温暖化防止に貢献するには「伐って、使って、植えて、育てる」というサイクルを回し、高齢化した森林の若返りを図る必要がある。ところが、高齢級化した大径木は住宅用の製材としては太すぎ、使いづらいという理由から価格が下がり、伐るに伐れない状態にあるのが現状である。新設住宅着工戸数の将来的な減少が見込まれている中、潤沢な資源である森林資源を活用してくためには、住宅・非住宅での内外装材での利用拡大を図る必要がある。しかしながら、柔らかく傷つきやすい針葉樹は、活用の幅が限られていた。

こうした中、当社グループは、表層圧密テクノロジー「Gywoog®（ギュッド）」を開発した。「ギュッド」は、針葉樹の無垢材の表層部を特に高密度化することで、素材としての硬さや強度を向上させ、さらに一般的な無垢材と比べて形状安定性を高めることに成功している。自然の意匠である美しい木目や、質感、風合いなど、針葉樹の特長を保ちつつ、表面をほどよい硬さとし、弱点であった傷つきやすさを克服している。

「ギュッド」は、大径木の活用を推進し、針葉樹の無垢の板材によるインテリア、エクステリア、家具等への活用が可能となる。さらに、地域のブランド材の活用や森林認証材の活用にも対応できる。当社グループとしては、大切な資源である木がそれに見合った付加価値を持ち、地域材として都心部や他地域、また海外で利用される仕組みを構築していくことで、各地の林業経営者の意欲を高め、人や環境を育てていく原動力にしていくことを目指している。

「ギュッド」のフリー板

「ギュッド」のフローリング

タマホーム株式会社

基本情報

社名：タマホーム株式会社
本社所在地：東京都港区高輪 3 丁目 22 番 9 号
設立年：1998 年
資本金：43 億 1,014 万円
主な事業：住宅、建築、設計、不動産業、保険代理店業
売上高：1,868 億円（2018 年度）
営業利益：73 億円（2018 年度）
従業員数：3,538 名（2019 年 5 月 31 日現在）

特色：木造軸組工法の戸建住宅を 8,916 棟（2018 年）販売。徹底的な効率化により低価格化を実現。住宅に使用する木材の品質・コストを管理する流通システムを構築し、国内の森林資源の活用と林業活性化を目指し、国産材利用にこだわる住宅を提供している。住宅販売のほか、不動産事業、リフォーム事業などの周辺領域に事業を展開している。

SDGs と経営戦略

当社は「より良いものをより安く提供することにより社会に奉仕する」という経営方針を掲げ、経営方針の具現化を通じてお客様、従業員、お取引先、地域社会、地球環境等すべてのステークホルダーにとって価値ある企業であり続けることを目指し、CSR 基本方針「5 つの Happy」を策定している。

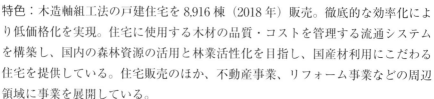

CSR 基本方針「5 つの Happy」

　将来、国内での住宅着工戸数が減少していく変化の中で、継続的な成長へ向けた強固な経営基盤の形成を目指している。さらに、各地域での木造住宅の注文住宅販売シェアを高め、2030 年までに国内での注文住宅着工戸数 No.1 を目標に掲げ、付加価値を高めた商品の研究開発を持続的に行っている。

 ## 長期優良住宅の促進（木造軸組工法）

　低炭素社会実現に向けて循環型資源である木材を積極的に活用し、長期優良住宅の認定基準に適合した高断熱・高耐震・高耐久の木造住宅を供給している。木造住宅の材料製造時における炭素放出量の削減や建築後の炭素貯蓄量を増やすことで環境負荷の低減に繋げ、地球温暖化に貢献している。

 ## 木材トレーサビリティ「木材産地証明書」の実現

　住宅を建築した際に使用された部材の生産地、製造工場、樹種を記した木材産地証明書を発行し、お施主様に木材従事者の思いや成果の関心を高め、国産材の付加価値を醸成している（2019 年時点では、九州、山口、茨城で実施。今後は全国展開を目指している）。川上から川下までのサプライチェーンを明確化にしていることで市場の活性化に繋げ、違法木材リスク低減への取り組みを行っている。

 ## 国産材使用比率「74.1%」

　住宅の構造躯体における 1 棟あたりの国産材使用率を 2013 年 67.2%、2016 年 72.3%、2018 年 74.1% と高めている。国産材の持続的利用により、日本国内の森林整備に貢献し、地域社会の雇用創生や活性化に繋げている。

 ## 林業体験・工場見学を行う「森林ツアー」の開催

　お客様を取引先と提携している地域に招待し、伐採見学、植樹、枝打ちなどの林業体験ができる森林ツアーを現在まで合計 16 回開催している。ツアーの中では、木育講座や工場見学などを通じて、地域に住まう人たちとの繋がりや国産材利用の意義を伝えている。

国産材を使用した構造躯体

前田建設工業株式会社

基本情報

社名：前田建設工業株式会社

本社所在地：東京都千代田区富士見 2-10-2

設立年：1919 年

資本金：284 億円

主な事業：建設事業

売上高：4,920 億円（2018 年度）

営業利益：359 億円（2018 年度）

従業員数：4,224 名（2019 年 3 月 31 日現在）

特色：創業 100 周年を迎えた総合建設事業者。創業後最初に請け負った水力発電事業をきっかけに、山岳から都市、国内から海外、土木から建築へと事業範囲を拡大。2016 年には事業を通じ社会課題の解決をめざす「CSV 経営」を経営戦略に掲げ、コンセッション事業に参入。まちづくりを通じて持続可能な社会の実現を目指しており、サステナブル事業という観点から木材活用を推進している。

SDGs と経営戦略

　当社は、次の 100 年に向け、総合インフラサービス企業をめざし、さまざまな社会・インフラシステムの革新に取り組んでいる。

　コンセッション事業はその一例である。これまでの建設業によって培ってきたエンジニアリング力を核に、建設事業の上流と下流、つまり開発や事業投資に始まり施設の運営管理まで、すべての領域を担う事業である。

　建造物は、地域環境や周辺住民の生活に、長きにわたって密接にかかわっていくものである。そこで当社は、その地域や街の未来を見据えながら川上から川下まで一気通貫で事業を行い、地域社会が抱える各種の社会課題解決に取り組んでいる。

　建設事業者として、SDGs のゴール 11（住み続けられるまちづくりを）やゴー

地球温暖化防止に向けた中長期目標

| 地球温暖化防止に向けた中長期目標 |
| スコープ1＋スコープ2　2030年までに　温室効果ガス排出量を20%削減（2018年度比）
　　　　　　　　　　　2050年までに　温室効果ガス排出量を57%削減（2018年度比） |
| ・スコープ1：自ら使用した燃料の燃焼（重機・車両使用など）による直接排出
・スコープ2：他社から供給された電力等使用による間接排出 |
| スコープ3　2030年までに　当社が建築した建物からの排出量を30%削減（2018年度比） |
| ・スコープ3：スコープ1、2以外の事業活動の上流・下流部分（材料調達、製品の使用、廃棄など）からの間接排出 |

地球温暖化防止に向けた CO_2 削減に関する中長期目標
出典：前田建設工業株式会社　ホームページ「気候変動への対応」より抜粋

ル12（つくる責任つかう責任）、ゴール13（気候変動に具体的な対策を）等への
取り組みは欠かせない。図で示した施工段階の CO_2 排出量やリサイクル率の削
減目標は、そのベースとなるものである。創業100周年を迎え、当社はパートナー
とともに事業を通じて社会課題を解決し、地域の活性化や成長の実現とともに、
SDGsの最終目標ともいえる持続可能な社会の実現を目指している。

　当社グループは、「木で建てる」ことでその恵みを取引先と共有する活動だけ
でなく、「木を伐って、使って、植える」というサイクルにおいてさまざまなパー
トナーとともに価値を創り、社会に実装する活動を行っている。以下、その一部
について紹介する。

誰もが簡単操作で安全な集材を可能に

　これまで木材の集材機には、安全性や操作性にさまざまな課題があった。そこ
で当社グループの前田製作所（長野県）と山長株式会社（和歌山県）が林野庁の
補助事業として「油圧式集材機」を共同開発した。現場で活躍する山長のプロ集
団の協力により、安全性、操作性、高効率の3つを併せ持った集材機が完成した。
林業は山村における基幹産業である。この集材機により山村に暮らす林業経営者
の収入が増え、山林が適切に手入れされることは、林業の活性化につながってい
くと考えている。

建物は「まち」をカタチ創るインフラ

　建造物は建築主のものであると同時に「まち」をカタチ創る社会インフラでもある。そのため、その社会性と公共性の高さから、当社では取引先に"木で建てる"ことを積極的におすすめしている。地域の木を利用した建造物を通して街づくりへの参加を促すとともに、サステナブルな素材である木を取り入れることで、取引先の事業にも環境配慮という付加価値を創り出す。つまり、建築工事を中心とした取引先と当社のパートナーシップによって、木が持つ「持続可能な価値」を社会に対してより具体的に、より身近なものとして広めていく活動を行っている。

 ## 地域とのパートナーシップ

　当社は「地産地消」を前提に、木材等の材料調達だけでなく、地元協力会社の雇用にも配慮している。比較的新しい市場である大規模木造の業界では、専門の大工はまだまだ多くない。しかも、大工の技術に加えて鳶（とび）の技術も必要となる。そこで、地元協力会社に大型木造の施工実績がない場合は、専門業者と協同して木軸の建て方や安全教育等を全面的に支援している。この取り組みにより、それぞれの地域に木造建築技術の新しい循環ができることを期待している。

　古来、飛鳥の時代から日本に根づいてきた木造建築であるが、現在の大規模木造建築では、そのよさを生かしつつ革新的な技術をプラスすることで、その価値をさらに高め、木材産業全体の可能性をも広げ始めている。そこで、当社が取り組んでいる例を紹介する。

 ## 木造新生産システムで可能にする柔軟な材料供給

　住宅産業の分野では、部材加工のほとんどで用いられているプレカット加工技術であるが、大規模建築業界においては、現在のところ、国外メーカー製の加工機に頼っているのが実情である。機械規模の大きさゆえに中小の木材加工メーカーにはなかなか手が出せないことが、今後の大規模木造普及のボトルネックの１つとなっている。そこで当社では、既存の BIM データを活用し、

極めて高い精度の加工を可能にする木造新生産システムを開発、実用化に向けた実験を進めている。これにより、プレカット工場で川上である山林からの材料供給と市場ニーズとのマッチングをスムーズに行えると同時に、トラブルへの迅速な対応を通して、山林事業者、加工メーカー、建設事業者、そしてお客さまの安全・安心にもつながると考えている。

  ## 木の持つポテンシャルを引き出す新材料

当社は、木造でこれまで実現できなかった大規模空間を作り出すことで、木材の普及拡大を目指す技術開発も進めている。

日本の人工林の約4割を占めるスギ。しかしこのスギは梁材としては強度が低く、従来の鉄骨造のような開放的な空間を作るのは難しい。しかし、帝人（株）が2015年に開発した、スギと炭素繊維強化プラスチックの複合材であるAFRW（Advanced Fiber Reinforced Wood）の実用化に向けたプロジェクトを2016年から共同で進めてきた。すでに完成した第1号物件では、AFRWが持つ特性を生かし、5mものオーバーハングを実現した。さらに、さまざまな用

途への適用を見据え、新たな開発や実験に取り組んでいる。

今後、木のポテンシャルが今以上に強く求められる社会になるのは、そう遠い将来ではないと、当社は感じている。例えば食品会社がその素材に心を砕くように、私たち建設会社もその素材に注力しその良さを伝えていくことは、至極当然のことだと考えている。知っているようであまり知られていない木のポテンシャルを広く社会の皆様に伝えていくのと同時に、その良さを生かした建物の提供を通して、"作る人"、"使う人"、"守り続ける人"といったさまざまなパートナーと、その価値を共有できる活動を続けていきたいと考えている。

前田建設×木　「木で建ててみよう」

株式会社竹中工務店

基本情報

社名：株式会社竹中工務店

本社所在地：大阪市中央区本町 4-1-13

設立年：1899 年（創業 1610 年）

資本金：500 億円

主な事業：建築工事及び土木工事に関する請負、設計および監理ほか

売上高：1 兆 3,536 億円（2018 年度）

営業利益：851 億円（2018 年度）

従業員数：13,042 名（2018 年 12 月 31 日現在）

特色：建設事業、開発事業を主な事業とする建設会社。織田信長の普請奉行であった初代竹中藤兵衛正高が、神社仏閣の造営を業とし、名古屋に店舗を構えたことに始まり、慶長 15 年（1610 年）を創業としている。子会社 51 社、関連会社 14 社およびその他の関係会社 1 社で構成される。

SDGs と経営戦略

　竹中工務店はサステナブル社会の実現に貢献する「まちづくり総合エンジニアリング企業」を目指す。その実現に向けて取り組むべき課題を整理し、25 の実施方策に基づく KPI および目標値を設定している。

　「竹中コーポレートレポート 2019」で、2018 年度の取り組み状況や 2019 年度の実施目標等を報告している。例えば、2019 年度の KPI と目標値として、「重大な公衆災害件数ゼロ」や「新築工事の混合廃棄物排出率 15％以下」、「ZEB プロジェクト件数 5 件」などのほかに、木材利用関連項目として「木造・木質建築プロジェクト件数 9 件」を設けている。

森林グランドサイクル® とまちづくり

　当社では国産木材の積極的な利用を通じて、持続可能な森林経営と社会資本整

備への貢献を目的として、"森林グランドサイクル"と名づけた資源・経済循環の実現に取り組んでいる。国産木材の利用を通じて都市と地方の良好なつながりを創出する取り組みであり、「森林資源循環」から「地域振興」、「まちづくり」、「林業活性化」が一連の流れの中で関連性を強め、森林資源や地域経済の循環を表す概念である。

森林グランドサイクル® 概念図

　建築物の木造・木質化により自然由来の木材を都市に取り込み、健康的で豊かな生活環境を都市生活者に提供すると同時に、地域の国産材の積極利用により地方経済の活性化、まちづくりに寄与・貢献する。

 ## 国内の森林資源を有効活用する建築物の木造・木質化

　木を使った建築空間を多く実現するために、木造・木質建築の防耐火性能を高める技術開発を積極的に進めている。

　建物用途や規模、建築地等の条件ごとに定められた防耐火規制が建築物の木造・木質化を困難にする要因であったが、これを解決する1つの手段として高い耐火性能を有する耐火木造部材燃エンウッド®を開発・実用化した。2013年に竣工した木造建築プロジェクトから数えて20件近くの木造・木質建築を実現している。今後も防耐火性能の高い木質建材の開発、建築物の設計・施工により、自然と調和したライフスタイルを社会に提供する。

兵庫県林業会館（兵庫県）

持続可能な森林経営を支援する木材の調達

　地方の林業とともに成長し、持続可能な森林資源の循環を実現する新たな木材の調達方法の確立を目指す。

　現在、住宅分野への供給を前提とした木材市場から非住宅建築で使用する木材を調達しようとする場合、建材サイズや数量、製造上の制約条件から合理性・経済性に欠ける部分が見られ、特に大規模建築を木造化する際の課題となっていた。

　このような木材調達での課題を解決するため、新たに非住宅分野での木材供給体制構築を試みる企業と協働を進めている。これまでの事例として、宮城県仙台市の泉区高森2丁目プロジェクト（PARK WOOD 高森）では、当社グループが林業家より直接木材を調達し、直交集成板 CLT 製造会社に材を支給するという新たな調達方法を試みた。さらに、木材を伐採したエリアにプロジェクト関係者による植樹を行っている。

　今後、大規模な木造建築プロジェクトで円滑な木材調達を可能とし、さらに林業家との協業により、持続可能な森林資源の循環を実現する調達方法の確立に取り組む。

PARK WOOD 高森（宮城県）

伐採地への植樹（大分県）

 ## 生物多様性促進プログラム「清和台の森づくり」

　当社は事業を進める際に生物多様性を意識する職場、企業風土の醸成に取り組んでいる。

　2012年に制定した「生物多様性活動指針」を具体化する取り組みとして「竹中生物多様性促進プログラム」を策定し、その活動の一環として当社研修所施設（兵庫県川西市）を活用して「清和台の森づくり」研修活動を実施している。従業員が森づくりを実践・体験することで、業務に活かせる知識の習得だけでなく、社会や地域貢献に展開できるスキル・能力を発掘し、磨くためのプログラムとなっている。本研修経験者を増やすことで広く社会課題を解決できる「次世代リーダー」を育成することも目指している。

清和台の森づくり（兵庫県）

飛島建設株式会社

基本情報

社名：飛島建設株式会社

本社所在地：東京都港区港南1丁目8番15号 W ビル 5F

設立年：1947 年（創業 1883 年）

資本金：55 億 1,994 万円

主な事業：土木、建設工事および請負
業他

売上高：1,289 億円（2018 年度）

営業利益：72 億円（2018 年度）

従業員数：1,351 名（2019 年 3 月 31 日現在）

特色：長い社歴に裏付けられた技術力を背景に、「利他利己」の創業精神のもと、建設技術と防災技術により安全安心な社会づくりに取り組んでいる。合わせて、「働き方改革」を推進している。

南極における基本観測棟工事

また、大学共同利用機関法人国立極地研究所から要請を受け、1994 年より毎年、日本の南極地域観測隊の設営部門へ技術者を派遣している。

SDGs と経営戦略

当社は、気候変動緩和のために施工段階での二酸炭素排出量削減、産業廃棄物の減量化などについて、毎年目標値を設定し取り組んでいる。また、建設技術を応用して温室効果ガスを大気から純減させるカーボンストック事業、

施工段階における CO_2 排出量

建設業で培った知見を活かした再生可能エネルギー事業などを展開している。

カーボンストック事業

カーボンストック事業は、木材を活用し、持続可能な建設事業を開発することで、工事が省エネルギーであることはもちろん、工事により炭素を貯蔵し、従来からの建設の目的である安全安心社会の構築と同時に、地球温暖化緩和と森林林業再生を行うことがコンセプトである。

この事業は、自然作用である光合成を利用し、大気の二酸化炭素を樹木に吸収固定し、炭素を固定した木材を軟弱地盤の改良材として使用することで、液状化対策を含む軟弱地盤対策工事をしながら地中に炭素を半永久的に貯蔵（カーボンストック）する。

これによる炭素貯蔵量は、例えばLP－LiC工法による液状化対策の場合、工事による排出量の10倍以上あり、工事により大気中の二酸化炭素を純減できる。

実工事により、2016年44t-CO_2、2017年60t-CO_2、2018年214t-CO_2の炭素（二酸化炭素換算）を地中に貯蔵した。

上記を含め、当社は、土木分野での木材利用の拡大を推進している。これら技術は、学会や、当社らで設立した「木材活用地盤対策研究会」を通しても広

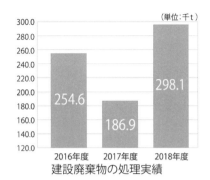

建設廃棄物の処理実績

カーボンストック事業のコンセプト

カーボンストック事業の概念図

丸太打設による液状化対策（LP-LiC工法）

く調査・研究・開発・普及を推進している。

 ## 小水力発電による再生可能エネルギーの提供

　既存の農業用水を利用した小電力発電は、一定の流量の水が決められた期間に確実に流れることから、地方における再生可能エネルギー源として、注目されている。

　例えば岐阜県中津川市において、中山間部の農業用水を活用した小水力発電事業では、多くの地域が抱えている施設の老朽化や維持管理の負担といった課題の解決につながる仕組みを構築し、既存のかんがい設備を活用した小水力発電所の建設および運転保守を行っている。本発電所のプロジェクトは、地元自治体および土地水路管理組合と協同して実施しており、地域活性化のモデルケースとなっている。

 ## 水質環境保全事業

　気候の温暖化や生活・工業廃水などにより富栄養化した用水路、ダム、貯水池などの水域に、外来植物をはじめとする「水生雑草」が水面を埋め尽くすほどに大繁茂することがあり、湖水の水質環境悪化を引き起こすことがある。当社グループは、水上施工機械を用いた湖沼の水質環境保全事業を展開し、水と共に生きる人々の生活を守っている。

 ## 防災のトビシマ

　当社の「防災サイクル」は、「事前準備」「災害応急対策」「復旧・復興」「減災」の4つのステージにより構成される。当社は各ステージにおいて、社会に提供できる「技術・ノウハウ」を整備し、防災に強い会社を目指している。

用水路

既設用水路を改修し農業用水を活用した
小水力発電（中津川市）

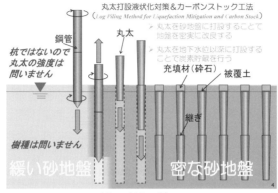

丸太打設液状化対策＆カーボンストック工法
(Log Piling Method for Liquefaction Mitigation and Carbon Stock)

LP－LiC 工法

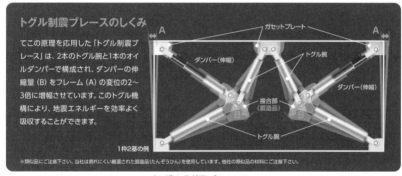

トグル制振ブレース

　「事前準備」では、「災害に強い会社づくり」、全国の営業拠点・作業所を活用した「緊急対応、復旧・復興支援の体制づくり」に取り組んでいる。「災害応急対策」では、災害時に対処できるよう整備した環境ソリューション技術を駆使して、災害発生時の応急対応に取り組んでいる。「復旧・復興」では、建設事業で培ったさまざまな「経験」と「技術」を結集して、長期的・広域的な視点で、被災地域の速やかな復旧・復興を支援している。

　「減災」では、大地震に対してレジリエントな建物を構築することで建物の揺れを低減し被災後の機能維持、継続使用を可能とするさまざまな制震構法を保有している。特に代表的なトグル制震ブレースは BCP・PML 値を大幅に改善することが可能である。また、丸太を地盤に打設することで液状化を防ぎながら炭素を長期貯蔵する LP－LiC 工法などの減災技術を展開している。

株式会社 J－ケミカル

基本情報

社名：株式会社 J－ケミカル（㈱ J－オイルミルズの連結子会社）

本社所在地：東京都中央区明石町 8-1

設立年：2004 年　資本金：9,000 万円

主な事業：木材用接着剤・塗料、工業用薬品の製造販売

売上高：J－オイルミルズ連結 1,868 億円

　　　　うち食品ファインセグメント 141 億円（2019 年 3 月期）

営業利益：J－オイルミルズ連結 57 億円

　　　　うち食品ファインセグメント 5 億円（2019 年 3 月期）

　　　　※食品ファインセグメントは J－ケミカルの他にスターチ事業などを含む。

従業員数：1,289 名（連結、2018 年度）

特色：1930 年に豊年製油（株）（現 J－オイルミルズ）の化成品部門として、大豆から食用油を絞った後の大豆蛋白を利用した接着剤を発売したことが接着剤事業のはじまり。現在はフェノール・メラミン・ユリア樹脂を主力に合板、木質ボード用を中心とした木材用接着剤の製造販売を行っている。他に木材用塗料、工業用薬品、ホットメルト接着剤、抗菌剤、診断薬原料レクチンを手掛ける。

SDGs と経営戦略

　当社は「社会の発展と住生活の安全に貢献する」「地球にやさしい化学と高度な技術力を発揮できる集団を作る」を経営理念とし、循環型社会の構築へ接着剤での貢献を目標としている。持続可能な森林からの木材のカスケード利用に適する接着剤、健康で安全な住環境を提供する接着剤を開発している。

 合板・木質ボードでの国産材のカスケード利用

　日本の森林は戦中戦後の乱伐により資源が減少し、輸入材に依存する状況が2000 年頃まで続いた。現在は戦後に植林されたスギ等の針葉樹を主体とした人

工林が伐採適齢期となり、森林蓄積量が増加している。近年の森林蓄積量の増加は約 7,000 万 m³/ 年であり、国産材使用量と合わせると国内木材需要量を上回る。木材自給率としては 2002 年に最低の 19% を記録したのちは増加に転じて 2017 年には 36% となったが、国土の保全、地球温暖化防止、循環型社会の構築のためには、国産材を伐って、使って、植えて、育てる、をさらに進める必要がある。

・国産材合板に適した接着剤の開発

　国内で生産される合板の原料は 1990 年前半まではラワンと通称される東南アジア産の広葉樹南洋材がほとんどであった。近年、環境・資源問題がクローズアップされ、輸入材は産地国の原木輸出規制、違法伐採取締り強化、資源的制約等から価格が高騰し輸入量が減少した。2000 年代半ば以降は国産材が急増し、2016 年には合板用材の 80% となり（図 1 参照）、スギ、ヒノキ、カラマツ、トドマツ、アカマツ等の針葉樹植林木が使用されている。国産材は、樹種、あるいは個体、部位により濡れ性・浸透性、pH、密度といった特性が大きく異なっており、幅広い樹種で良好な接着性能が得られる接着剤が求められた。当社では幅広い国産材に対応する合板用接着剤を開発することで、国産材の利用拡大に貢献している。

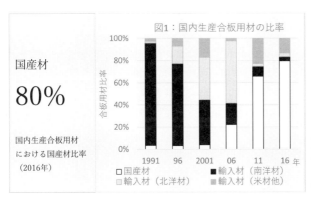

図1　国内生産合板用材の比率
出典：農林水産省、『木材需要報告書』から作図

・リサイクル原料に適した木質ボード用接着剤の開発

　国内で生産される木質ボードの原料は 1990 年代前半までは丸太等素材チップ（いわゆるバージンチップ）、合板・製材工場残材（広葉樹南洋材中心）が大部分であった。木質ボード業界は木質資源のカスケード利用に早くから取り組み、1990 年代から建築解体材が増加、2017 年には木質ボード用原料の 93% がリサイクル原料（建築解体材＋合板・製材工場残材＋間伐材・林地残材、使用済梱包材等のその他）となった（図 2 参照）。なお、合板・製材工場残材は合板・製材工

場の原料変化により現在は針葉樹国産材中心となっている。バージンチップに比べてリサイクル原料は物理的ダメージを受けていることから繊維が短く強度が低いという課題があった。また、建築解体材および合板・製材工場残材は針葉樹が中心であるが、広葉樹に比べて吸水厚さ膨張率が大きいという課題があった。当社ではこれらの問題を改善する木質ボード用接着剤を開発することで、リサイクル原料の利用拡大、国産材のカスケード利用拡大に貢献している。

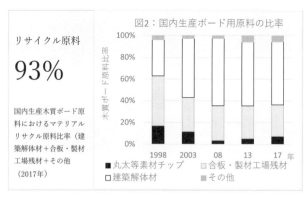

リサイクル原料

93%

国内生産木質ボード原料におけるマテリアルリサイクル原料比率（建築解体材＋合板・製材工場残材＋その他）（2017年）

図2 国内生産ボード用原料の比率
出典：日本繊維板工業会会報から作図

・国産材合板の用途拡大への取り組み

　国内合板供給量（国内合板生産量＋合板輸入量）に占める国内合板生産の比率は 2002 年の 35% を底に増加に転じ 2017 年には 53% となったが、南洋材合板を中心とした輸入合板が半分近くを占めている。国産材合板のさらなる利用拡大のためには輸入合板の代替、店舗・公共建築物・土木といった非住宅分野への用途拡大を図る必要がある。

　国産材を含む針葉樹合板は表面平滑性が低いという問題点があり用途が限定されていた。当社では塗装処理による表面平滑化で国産材合板の用途拡大を目指している。全面補修用パテ（TP シリーズ）は合板表面の欠点を補修することで国産材合板の複合フローリング台板への利用拡大に寄与している（図3 参照）。複合フローリング台板は南洋材合板が大部分であったが、国産材合板を使用したフローリング台板の比率は24%（2017年）に増加してきている。また、コン

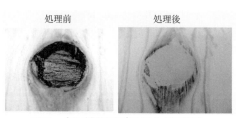

処理前　　　　　処理後

図3 全面補修用パテによる平滑化
スギ合板へ当社 TP-37 を処理

クリート型枠用塗料（CP シリーズ）は国産材に適する塗装とすることで型枠への利用を進めている（図4 参照）。塗装型枠合板も南洋材合板が中心で国産材合板比率は 5% 以下（2017 年）であり、普及に取り組んでいる。さらに国産材合板の用途を拡大していくために、曲げ剛性の向上、硬度の向上、寸法安定性の向上などへ取り組んでいる。

図4　国産材塗装型枠合板　実証実験
コンクリート打設試験後の南洋材合板との比較
出典：地域材活用倍増戦略プロジェクト事業報告書

健康で安全な住環境の提供

　1990 年代にシックハウス症候群が社会問題化したことから、建築材料の低ホルムアルデヒド放散量化を目的として 2003 年に建築基準法が改正され、JAS・JIS F ☆☆☆☆制度ができた。F ☆☆☆☆区分は世界で最も低いホルムアルデヒド放散量基準である。合板・木質ボードでも 2000 年以降急速に低ホルムアルデヒド放散量化が進められ、例えば木質ボード（パーティクルボード + MDF）では 2017 年には F ☆☆☆☆区分の生産比率は 95% となっている（図5 参照）。また、合板でも F ☆☆☆☆区分の生産比率は 95% 以上となっている。接着剤のホルムアルデヒド放散量を下げると接着強度が低下するという問題があったが、ホルムアルデヒド放散量が低くても接着強度の低下が少ない接着剤を開発し、F ☆☆☆☆区分に適合する建築材料の生産に貢献している。

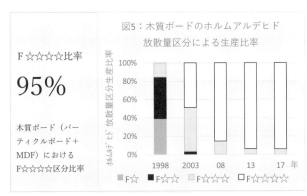

図5　木質ボードのホルムアルデヒド放散量区分による生産比率
出典：日本繊維板工業会会報から作図

株式会社マルホン

基本情報

社名：株式会社マルホン

本社所在地：静岡県浜松市浜北区永島 1295

設立年：1953 年 創業 1934 年

資本金：4,200 万円

主な事業：フローリングやパネリングなどの
木質建材の開発・製造・販売

売上高：約 24 億円（2018 年度）

従業員数：52 名（2019 年 3 月 31 日現在）

特色：当社は創業以来、地元天竜材の
流通および卸業を営んできた。1980 年
代以降、北米広葉樹を中心に輸入木材
を扱うようになり、その後、無垢木材
を中心としたフローリングやパネリン
グ、階段、框およびカウンターといっ
た内装建材の開発・製造・販売を行っ
ている。現在は、世界中から集めてき

た 40 〜 50 樹種、300 以上の商品を取り扱っている。

SDGs と経営戦略

　当社は輸入材の調達を主としているため、2006 年に FSC® 及び PEFC の CoC
認証を取得した。しかし当時は、認証材の調達実績はあったものの、調達した材
を認証材として販売することはほとんどなかった。

　2015 年 6 月、当社は、創業家からの事業承継を目的として、アント・キャピタル・
パートナーズが運用するバイアウトファンドに買収された。買収後、株主である
ファンドの意向も加わり、コンプライアンスを強化した。また、社会・環境問題

持続可能な木材資源保持のための取組み

マルホンは、美しい地球を守り、次世代に受け継いでいくために、環境保全活動に取り組んでいます。

環境にやさしい木材調達のための
デューディリジェンス®

マルホンは、環境にやさしい木材調達にこだわり、先進的に木材及び森林の環境保全に取り組んだアメリカ、ヨーロッパ及びオーストラリアの木材調達プロセスを参考に、独自のデューディリジェンスプログラムを採用しています。特に、定期的に木材の調達先を訪問することで、多角的な情報収集を行っています。

デューディリジェンスプロセス概要

木材の合法性や、木材資源枯渇への危険性を評価し、さらには負うことのできる環境保全への貢献度を図るためのデューディリジェンスプロセスでは、それぞれのリスクを判定し、低いリスクのものを調達していく。リスクを評価していく。

合法伐採木材等の流通及び利用の促進に関する法律（通称「クリーンウッド法」）

認証の取得

マルホンは、環境問題に早期に取り組み、その一環として、2006年6月にFSC®及びPEFCのCoC認証を取得しました。

FSC®

PEFC

持続可能な木材資源調達のための取組み
出典：株式会社マルホン　木材見本帖第八号　2019,p316-317

に対する国際的な規制の強まりや枠組み整備が進展し、機関投資家はESG投資の基準を指標としはじめた。加えて、国内では戦後拡大造林されたスギやヒノキの人工林が伐期を迎えたことから、国産材利用に向けた環境が整いつつあった。そこで、当社では、2016年9月「環境にやさしいデューデリジェンス（DD）プログラム」を策定した。その際、合法性が完全には担保できない樹種であったミャンマーチークやカリンなどの商品を調達することを中止した上で、同年11月に発行した自社カタログ「木材見本帖第七号」において、掲載全商品の調達に対して「持続可能な木材資源保持のための取組み」を実施していることを宣言した。さらに、FSC®認証100％の尾鷲ヒノキと天竜スギの無垢フローリングを商品化し、掲載した。

 持続可能な木材資源保持のための調達と商品販売

　当社は独自のDDプログラムに基づき、ほぼ100％の取扱商品について、伐採の際の前払証書・原産地証明書・インボイス・パッキングリストなどの書類の確認、サプライヤーや産地への訪問などを実施することで、トレーサビリティの確保や合法性を確認し、環境に優しい木材調達を徹底している。また、新規サプライヤー

との取引開始に際しては、FSC®認証を取得している先であること、新規商品開発に関してFSC®認証品として発売できることを重視している。FSC®認証フローリングやパネリング商品は、エンドユーザが意識的に選ぶことのできる非常に稀な木材商品であることから、重要度が高い。当社の商品を選択し、内装建材として使用いただくことで、知覚・触覚・嗅覚にやさしい建物となり、最終的には、違法伐採の撲滅、管理された森林を守り育てること、二酸化炭素の削減、多様な生態系の保全の担保につながると考えている。

∞ 責任のある企業、責任のある個人に向けて

当社の社員は、無垢木材を主な商材としてきたことから、従前から環境意識が比較的高く、環境配慮型経営の土壌があった。しかし、環境問題に対する意識のさらなる普及や深化、新卒や中途採用の社員への教育も必要であった。

当社では、毎期作成する事業方針書に「環境に配慮した木材調達」や「国産材への取り組み」を記載し、社内へ自社方針の浸透を図っている。さらに、組織横断的な樹種別商品担当者制度を導入し、国内外のサプライヤーや産地の訪問、DDの実施には、調達部門だけでなく営業部門や物流部門の社員も同行する。また、環境問題や違法伐採問題に関する外部セミナーやシンポジウムなどへ積極的な参加を促すだけでなく、参加した社員が社内勉強会においてその内容を発表することで、社内における知識の平準化も図ってきた。その他、名刺やコピー用紙、カタログの用紙などにおける積極的な認証品の活用、当社と同じく環境配慮型経営に取り組んでいるPatagonia社のジャケットに当社ロゴを入れたユニフォーム

を作成するといった取り組みなどを通して、さらなる環境意識の向上や、自社方針の徹底を目指している。

実際の調達やDDの実施に際しての国内外サプライヤー訪問時には、調達安定性確保のための離職率低減の取り組み、認証木材の正しい管理と利用促進、合法材や植林材の利用に関する取り組みの現状と課題などを確認している。例えば労働条件に関しては、現地工場内での労働環境（木屑の処理や塗装時の換気など）、製品管理方法や労働者の体調管理（勤務・休憩時間の管理、朝礼・体操の実施など）まで確認し、問題点があればマニュアルを提供したり、改善を促したりしている。これらの取り組みの結果、安全・安心な労働環境の構築、児童労働の撲滅、当該地域産業の活性化、環境保全意識の向上に貢献できていると考えている。

近年では、近隣の学校への認証木材の端材提供や、ショールームにて子供を対象にした木のおもちゃに植物オイルを塗布するイベントの開催などを通して木育活動にも取り組んでいる。

LED 塗装の開発

当社では、フローリングやパネリングのコーティング塗装の硬化工程に関して、従来のUV塗装から、オゾン（O3）が発生せず省エネルギーでもあるLED塗装（商品分類名：LED OIL／LED CURED OIL）の導入を検討しており、現在、提携先となりうる塗料メーカーの新規開拓と、商品開発を行っている。溶剤を一切含まないLEDで乾燥させるオイルは、VOC含有量が極めて少ないため、塗装作業者や施工業者、居住者の健康面・環境面にも配慮がなされている塗料である。また、下地剤は主成分が「水」となるため、基本的には非危険品扱いとなり、引火の心配がないことから、保管時の安全面も担保できる。

日本ノボパン工業株式会社

基本情報

社名：日本ノボパン工業株式会社

本社所在地：大阪府堺市堺区築港南町 4 番地

設立年：1956 年

資本金：1 億円

主な事業：パーティクルボードの製造販売、バイオマス発電事業

売上高：156 億円（2018 年度）

従業員数：280 名（2018 年度）

特色：堺工場、つくば工場の 2 工場生産体制により年間生産量は 1,800 万 m² 以上、マーケットシェア 35％を占め業界トップである。家屋解体材、建設残材および製材工場などから排出された木くずを主原料とし、当社独自開発の異物除去プロセスやチップ処理を経て熱圧成型されたパーティクルボード "ノボパン" は建築資材として利用され、木質廃棄物の資源循環を実現している。

SDGs と経営戦略

耐力壁用途の普及

　2018 年に木造軸組工法および枠組壁工法で国土交通大臣認定を取得した、厚み 9mm の耐力壁用パーティクルボードの普及に努めている。本製品は廃木材と未利用木材を主原料とし、ホルムアルデヒド放散量 F☆☆☆☆のエコ商品であり、現在当社年間生産量の約 4 割を占める主力製品である。

資源循環概念図

広域認定制度の維持

　環境省は廃棄物の処理を製造事業者等が行うことにより、処理に係る廃棄物の減量などの適切な処理が確保できる場合、廃棄物処理業に関する地方公共団体ごとの許可を特例で不要とする広域認定制度を設けている。当社は 2006 年にこの特例を受けた「広域認定事業者」となった。

 ## バイオマスリサイクルシステムの導入

　堺工場では“ノボパン”製造によるマテリアルリサイクルに加え、製造に不向きな木質バイオマスを主燃料としたサーマルリサイクルシステムを導入し、化石燃料使用による温室効果ガス排出量を 92％削減し、年間約 15,000 トンの CO_2 削減効果が得られた。つくば工場でも 1997 年の稼働以来化石燃料を使用せず、木質バイオマスの燃焼により熱源のすべてと電力の一部を得ている。

 ## 国産材利用の促進

　国内に所在する森林の整備による CO_2 吸収量の増加、および間伐材や林地残材等の伐採木の長期使用による炭素固定に寄与することを目的として当社は国産材利用を進めている。つくば工場で生産している一部の製品を「みなとモデル二酸化炭素固定認証制度」に製品登録している。また 2018 年 7 月には SGEC-CoC 認証（JIA-W067）も取得した。

 ## 自治体との協調

　当社工場の所在するつくば市と協調し、地震災害や竜巻災害で生じた廃棄物や里山整備によって発生した木質バイオマス、県内常総市からは水害廃棄物をそれぞれパーティクルボード原料としてチップ化処理後に受け入れた。また東京都足立区が取り組んでいる国内初の「木製粗大ごみの資源化」事業に参画した。回収された廃家具をパーティクルボードへ再生する事業で 2014 年度の開始から 2018 年度末までに 2,050 トンの廃家具をチップ化処理の後、受け入れている。大阪府の堺工場においても熊本地震で生じた被災材をパーティクルボード原料としてチップ化処理後に受け入れした実績がある。

有限会社高橋木箱製作所

基本情報

社名：有限会社高橋木箱製作所

本社所在地：東京都葛飾区奥戸 2-7-7

設立年：1958 年

資本金：500 万円

主な事業：国内および輸出梱包事業、ツーバイフォー事業、システム開発事業

売上高：23 億円（2018 年度）

特色：木枠梱包事業が主。段ボール、樹脂、スチールなどを利用した梱包も行う。他、ツーバイフォー事業、システム開発事業、製材業、作業請負、印刷業などにも取り組む。北海道日高地方にて広葉樹を中心とした約 800ha の社有林管理も行う。

SDGs と経営戦略

 木枠梱包

国内および輸出向け木枠梱包用に、年間約 1 万 m³ の木材を利用している。そのうち国産材が過半を占める。チリおよびニュージーランドからの輸入材も利用しているが、これらは森林認証を受けた材である（当社は CoC 認証を取得していないことから、木枠への利用に際して認証材としての表記は行っ

ていない）。木枠梱包の対象としては、小型のモータ類から大型のプロペラ類まで幅広い。特に大型重量物に関しては、木箱構造設計システムを自社開発するなど、業界で一目置かれる存在である。輸送包装用わく組箱に関する JIS 規格（JIS1403）の初版制定にもかかわった。

国産材（道産材）の利用

　年間約 6,200m^3 の道産材を木枠梱包の素材として利用している。同業他社と比べ、国産材の利用率はかなり高いものと考えられる。木枠梱包事業は、製造ラインのパッケージング工程を請け負う形で実施しているため、全国各地の請負先工場に向けて、北海道日高地区に所在している自社製材工場にて加工した製材品を配送している。

　木枠梱包に利用される梱包材は使い捨てであることから、安さは重要であるが、当社は、世の中に対する問題提起という意識もあり、道産材利用を続けている。

社員大工の育成

　ハウスメーカーが販売している木造戸建住宅の建設請負を行うグループ会社サンホームでは、現場で不足が深刻化している大工希望者を社員として入社させ、大工として育成している。一人前になるには数年かかり、それまでは経費の持ち出しとなるが、現在、7名の社員大工が在籍している。事業部門として利益を生み出すようにもなっており、将来、楽しみな部門である。

第5章

SDGs および ESG 課題にどう取り組むか？

はじめに

　SDGs や ESG 課題の達成に向けて、企業の果たす役割に大きな期待が寄せられている。これまで第 1 章から第 3 章で述べてきたように、人類の生存の基盤となる地球環境および地域社会の再生なくして、企業の存続もありえないという厳しい現実を考えると、企業は、SDGs や ESG 課題を中長期の経営戦略の中心に置かなくてはならない。企業が継続していくためには、社会に提供できる新たな価値を継続的に生み出す必要があるが、今後、企業は、SDGs や ESG 課題に積極的に取り組むことなしに、このような「価値創造」を達成できないことは明らかである。企業経営者にとっては厳しい時代であるが、木材関連企業を含むすべての企業は、この「SDGs 時代」の中で生き残りをかけた挑戦を行っていかなくてはならない。

　SDGs や ESG 課題は、経営トップのリーダーシップのもと、すべての従業員が一丸となって取り組むべきテーマである。これまでにも多くの日本企業では、公害対策や CSR 活動を通して、SDGs や ESG 課題として取り上げられている具体的な問題の一部にすでに取り組んできた経緯がある。しかし、SDGs や ESG 課題が過去の動きと大きく異なるのは、法律に基づいて環境汚染や労働環境の改善を求める政府だけでなく、機関投資家や環境 NGO からも、各企業に対して、SDGs や ESG 課題に対する現在の貢献度とこれからの計画を明確に説明せよという強い圧力がかかっている点にある。本書の対象である木材関連企業も、当然ながら、このような外部環境の変化に対応し、速やかに SDGs や ESG 課題への対応を行わなくてはならない。

　木材はその材料特性から、他の素材と比較し、利用を拡大することによって、グローバルな環境および社会課題に対して貢献できる。そのため、木材関連企業は、既存のビジネスモデルであっても、SDGs や ESG 課題に対し、すでにある程度貢献できている可能性がある。木材関連各社の SDGs や ESG 課題の担当者がまず取り組むべきことは、①現在の自社の事業内容を SDGs または ESG 課題の観点から棚卸し再評価する、②再評価の内容と今後の方針をわかりやすく機関投資家や環境 NGO などのステークホルダーに伝える、こととなる。

　すでに第 4 章において、SDGs や ESG 課題の観点からみた木材関連各社の事例紹介を行ったが、本章では、木材関連企業のスタッフとして新たに上記の取り組みの実務担当者となった方が、どのようなステップで事業内容の棚卸を行い、

それをステークホルダーに伝えるか、その手順の概要を解説する。本章のもう1つの目的は、実務担当者以外のメンバーにも、本章を通してSDGsやESG課題への取り組みの実際のステップを理解してもらうことで、事業の棚卸を行う際に、社内各部門の協力を得やすくすることである。

5-1.SDGs および ESG 課題の解決による「価値創造」

　SDGsとESG課題の関係については第1章で説明したが、よく似た用語として、CSR（企業の社会的責任：Corporate Social Responsibility）とCSV（共有価値創造：Creating Shared Value）がある。

　CSRに関する活動の大原則は「企業が自らの社会的責任をどう果たすか」にある。ここで問題となるのは、具体的な活動の定義がはっきりしていない点である。企業を含む組織にとっての社会的責任は、1970年代に経営学者のピーター・ドラッカーがその重要性を指摘したことで、企業経営における主要なテーマの1つとして認識されるようになった。その後、1980年代のバブル時代、多くの日本企業が芸術や文化振興のスポンサーとなったが、当時のCSR活動はこのような企業の慈善活動を指すことが一般的であった。この意味でのCSRは、受動的CSRとも呼ばれる。

　CSVとは、経営学者であるマイケル・ポーターが提唱した「共通価値の創造」を軸とした新たな企業経営の形であり、「企業活動と社会とは強い繋がりを持つべきであり、社会価値の向上を企業経営の核にすべきである」とする考え方である。ポーターは、慈善活動としてのCSRからCSVへ、企業経営のあり方は発展していくべきであると主張している。ここで重要なのは、21世紀の企業活動は、社会の抱える諸問題と深くかかわりながら展開していくべきであるという前提でCSVが構築されている点である。これは、SDGsやESG課題への対応そのものである。CSR活動の大原則に基づけば、CSVもCSRの1つの方法であると認識することもできる。この意味でのCSRは、戦略的CSRや本業CSR（笹谷, 2019）とも呼ばれる。

　SDGs、ESG課題、CSVに共通するキーワードは「価値創造」である。今後、自社のSDGsやESG課題への対応を考えていく際、価値創造は、常に、中心に位置づけられる概念である。ここでの価値創造とは、長期的な企業の競争力と、グローバルな環境および社会課題の解決の両立を図るためのイノベーションを意

味する。

　イノベーションを定義した経済学者ヨゼフ・シュンペーターによると、イノベーションのタイプとして、「製品イノベーション」「製造プロセスイノベーション」「マーケット・イノベーション」「サプライチェーン・イノベーション」「組織イノベーション」がある。イノベーションと言われると、少々とっつきにくいかもしれないが、新製品の開発、新たな販路や調達先の開拓、新たな企業ガバナンス制度の導入といった用語に置き換えると、実務担当者も社内の他のスタッフも理解しやすいだろう。これらイノベーションの受益者として、企業と社会の双方を想定することが、SDGs や ESG 課題に基づく経営戦略の肝となる。

　このような企業の取り組みは、ESG 投融資を行う投資家や金融機関にとっても、長期的なリターンの拡充につながることから、高く評価されることになる。

5-2.SDGs と各事業の紐づけ

　SDGs は、世界の共通言語となった。国、地方自治体、企業、NGO など世界中の組織が、グローバルな環境および社会問題に対する自らの貢献度を、SDGs の枠組みで分析し、公表する義務を負っている。木材関連企業各社も、当然、自らの企業経営による SDGs への貢献度を分析し、公表しなくてはならない。

　そこでまず課題となるのは、自社の各事業と、SDGs の各ゴールおよびターゲットとの紐づけである。第 4 章では、木材関連企業の事業内容を SDGs と紐づけて紹介しているが、同じ形で、自社の現在の事業内容を紐づけし、ステークホルダーに公表することが、実務担当者としての最初の作業になる。ただし、現状を整理し、SDGs のゴールに結びつけただけで、ステークホルダーに高い評価を得られるわけではないことに注意が必要である。紐づけ作業は、SDGs への取り組みの初期段階であり、ゴールではない。

　SDGs を企業経営に導入するガイドとして「SDGs コンパス」がある。これは、GRI、国連グローバル・コンパクト、持続可能な開発のための世界経済人会議（WBCSD）の 3 組織が共同で作成したものである。

　SDGs コンパスは（1）SDGs の理解、(2) 優先課題の決定、(3) 目標の設定、(4) 経営への組み込み、(5) 報告とコミュニケーション、で構成されている。このうち本章で取り上げる自社事業の棚卸は、(1) と (2) の一部が該当する。(2) の一部とは、優先課題を決定する前段階として、既存事業の整理＝棚卸をするとい

う意味である。

　SDGs 達成に向けた取り組みは、技術開発であったり、人材育成であったり、投資であったりとさまざまである。その中で現実的に何ができるのか、何をすべきなのかを見出すことは容易ではないが、例えば木材の材料特性から考えて、どの木材関連企業にとっても重要なゴールは SDG13（気候変動への具体的な対策）や SDG15 の（陸の豊かさも守ろう）であろう。

　第 4 章で紹介した木材関連企業の取り組みをまとめると、SDG15 に関する取り組みが最も多かった。なかでも、2020 年までに、あらゆる種類の森林の持続可能な経営の実施を促進し、森林減少を阻止し、劣化した森林を回復し、世界全体で新規植林および再植林を大幅に増加させる（ターゲット 15.2）ことに関する取り組みが目立つ。

　SDGs は、17 のゴールが互いに連関する包括性を持つ点にも注意が必要である。SDG15 に関連する森林の持続可能な経営は、木材の炭素貯蔵効果によって SDG13 の気候変動対策につながる。一方、SDG7 に関連する木質バイオマス発電を使った再生可能エネルギーの拡大は、燃料供給のための資源の収奪によって SDG15 の森林資源を劣化させ生物多様性の損失をもたらす恐れがある。それぞれのゴール間の関係から生じる相乗効果（シナジー）、二律背反（トレードオフ）の影響を考慮する必要がある。

　実際に自社の事業内容と SDGs との紐づけ作業を始める前に、SDGs およびその各ターゲットの英語原文にも目を通しておくことをお勧めする。日本語翻訳版に問題があるわけではないが、ターゲットの内容についての微妙なニュアンスなど、原文を当たると内容をより明確に理解できる場合がある。

　SDGs は、あるべき理想像を基準に現在の課題解決に至るロードマップを描く「バックキャスティング」アプローチをとっている。また、SDGs は 2030 年までという期限つきである点にも留意すべきである。SDGs の枠組みは 2030 年までであっても、グローバルな環境および社会課題への取り組みはそれ以降も引き続き行っていかなくてはならない。

　ESG 投資を行う年金基金などの機関投資家は、10 年以上の長期スパンで投資先企業の価値創造力に注目している。繰り返しになるが、SDGs ありきではなく、SDGs を 1 つのツールとして、価値創造に取り組んでいく必要がある。

5-3. 事業棚卸の実際

　2018 年 4 月より、木材利用システム研究会の会員有志で立ち上げた研鑽会「木材産業における ESG」において、参加企業各社の事業棚卸を行った。ハウスメーカー、建材、ゼネコンなどの業態の木材関連企業が参加した。表 5-1 は ESG 課題のうち、環境および社会課題に関する各社の事業棚卸の結果をまとめたものである。木材関連企業は、木材以外の素材に基づく部材や製品も取り扱っているが、今回は、木材利用に焦点を当てて、各社の事例を持ち寄り、議論を行った。

　木材利用と深く関連するテーマとして、「炭素貯蔵」「排出物・汚染の軽減」「消費者の健康への効果」「建築物の機能性」「森林管理」「地域貢献」が挙げられた。次に各テーマについて、より具体的な評価指標と評価対象を検討した。例えば炭素貯蔵であれば、「伐採木材製品の利用」と「森林の成長量増加」であった。さらに、企業レベルでのより具体的な評価対象として、伐採木材製品の利用に関して、「耐久性のある木材製品の生産」「再利用」「リサイクル」が挙げられた。これらの評価項目は、すべての木材関連企業にとって最重要なポイントである。

5-4. 今後の課題

　SDGs コンパスを参照すると、事業内容の棚卸を終えた後の手順として、(2) 優先課題の設定、(3) 目標の設定、(4) 経営への組み込み、(5) 報告とコミュニケーション、を行う必要がある。しかし、これらのステップは、実務担当者だけでこなせるものではない。また、これらの具体的な作業手順に関して、多くの課題が存在している。例えば、(2) については優先順位の決定方法、(3) については設定した目標についての定量的な評価方法（＝重要目標達成事項：KPI）が挙げられる。ほとんどの企業が現在試行錯誤している状況である。

　優先順位を設定するためには、SDGs と紐づく自社事業の中で、長期的な価値創造につながるものを選別し、順位づけする作業が必要となる。自社の経営に関する重要課題はマテリアリティとも呼ばれる。第 1 章で紹介した GRI では、マテリアリティの評価軸として「経済、環境、社会に与える著しいインパクトを反映する項目、ステークホルダーの評価や意思決定に対して実質的に影響を及ぼす項目」を重視することが求められている。

　木材利用に関する経済インパクト測定の例として、木造軸組戸建住宅に利用す

表 5-1　木材関連企業による ESG 課題への貢献可能性の例

	評価指標	企業レベルの評価対象	参加企業による取り組み例
炭素貯蔵	伐採木材製品（HWP）の利用	耐久性のある木材商品を生産	耐震住宅の開発、アフターサービス
		再利用（Re-use）	工場でのマテリアルリサイクル
		リサイクル	木材廃棄物の循環利用
	森林の成長量を増やす	適切な択伐と再植林	供給元による森林管理のモニタリング
排出物・汚染の軽減	製造のエネルギー効率	原料調達など	製造工程の見直し
	空気汚染（メタン、二酸化硫黄など）	環境負荷の大きな材料を避ける	再資源化
	水汚染（溶解リン酸など）	環境負荷の大きな材料を避ける	水資源の循環利用
	［建築物］保温効果→空調負荷軽減	木材の保温効果を活かす工法	内装材への木材利用
	［バイオマス］化石燃料の代替	エネルギー回収、再利用	熱利用、発電
	生物分解可能		生物分解可能な材料の利用
消費者の健康への効果	心理面（ストレス緩和、リラックス効果、過去とのつながり、場所の感覚）	木のぬくもりを活かしたデザイン	無垢材の利用、VOCの減少、福祉施設や住宅での積極的な木材利用
	身体面（血圧、免疫力アップ）	内装木質化	
	［建築物］室内空気の質	内装木質化	
	［建築物］調湿	木材の清浄効果を活かす工法	
		木材の調湿効果を活かす工法	
建築物の機能性	防音効果	木材の防音効果を活かす工法	無垢材の利用、VOCの減少、福祉施設や住宅での積極的な木材利用
	断熱効果	木材の断熱効果を活かす工法	
	生産性向上（集中力・対人関係）	内装木質化	
森林管理	自然災害防止（山火事、侵入生物種、気候変動）	持続可能な森林管理	トレーサビリティの徹底
	森林面積の増加	海外産業植林　アグロフォレストリー	海外植林事業
	森林の保有と適正管理による公益的機能	持続可能な森林管理	FSC認証木材の活用
地域貢献	経済波及効果	地域内からの調達と加工	国産材利用のための技術開発
	文化の継承		工芸・伝統的技法の活用

る国産材の使用率を向上させた場合の経済波及効果についての研究がある。経済波及効果とは、国産材の使用率が増加した場合に、林業、木材産業、運輸、商業など、全国に存在するすべての産業に追加的に発生する生産活動の合計（＝生産誘発額）のことである。日本全国で、木造軸組住宅の国産材使用率が材積ベースで 1 ％（8.21 万 m^3）増加した場合、44.9 億円の生産誘発額が新たに生じることが試算されている（河村ら，2020）。

　SDGs コンパスのステップに厳密に従う場合、経済、環境、社会についてのインパクト評価を SDGs に紐づくすべての自社事業に関して行う必要がある。ここでの課題は、このようなインパクト評価には一定のノウハウと時間を要する点にある。例えば、木材産業に深くかかわるテーマである炭素貯蔵に関しては、第 3 章の気候変動緩和機能の説明の中で詳しく述べられている HWP の試算を行うことで、インパクト評価が可能となる。一方、特にグローバルな社会問題の中には、評価方法や評価のためのインプットデータの取得が現状では困難であるケースも存在する。

　また、SDGs に関するインパクト評価については、各業界の状況に即した適切な指標の開発が求められている。SDGs や ESG 課題に対応できる人材リソースが不足している木材関連の中小企業にとって、自社の事業経営によるインパクト評価を簡単な操作で行えるソフトウェアに対する潜在的な需要も大きいと考えられる。

　木材利用システム研究会では、2018 年 4 月より研鑽会「木材産業におけるESG」を立ち上げ、研究機関、企業会員、行政機関と連携し、木材産業における取り組みを適切に評価できる指標の検討を進めている。入手可能なデータは限られており指標の開発は容易ではないが、研鑽会内で議論を重ねることで実現を目指したいと考えている。

　木材利用と密接に関係する建築業界ではガイドブックとして、建築産業にとっての SDGs─導入のためのガイドライン─（建築関連産業と SDGs 編集委員会，2019）や、SDGs 建築ガイド日本版（日本建築家協会，2019）がすでに刊行されている。また、企業を対象としたものではないが、内閣府が全国の自治体向けに作成している「地方創生 SDGs ローカル指標リスト」も参考になる。関東経済産業局と長野県によって構成されている「地域 SDGs コンソーシアム」が作成した中小企業向けチェックリストも有用である。これらを参考に、SDGs や ESG 課題への取り組みを、一歩一歩進めていくことが大切である。

近年、SDGs や ESG 課題に積極的に取り組む一部の企業が取り組みを始めたシナリオ分析も重要である。企業経営におけるシナリオ分析とは、中長期の経営戦略を検討する際に、リスクまたは機会をもたらす可能性のある要因ごとに代替案（＝シナリオ）を設計し、それらの将来リターンを比較検討する手法である。気候変動問題に関するシナリオ分析を、国際機関などで組織される気候関連財務情報開示タスクフォース（TCFD）が推奨したことをきっかけに、国内でもいくつかの企業でSDGsやESG課題に関するシナリオ分析が取り組まれるようになった。詳細は、環境省の「TCFD を活用した経営戦略のススメ〜気候関連リスク・機会を織り込むシナリオ分析実践ガイド〜」を参照いただきたい。

SDGs および ESG 課題への対応は、すべての企業にとって新たなチャレンジであり、事業の棚卸１つとっても、社内の協力体制づくりなど、多大な時間と労力を必要とする。ここで大切なのは、小さな成功体験を積み重ねることである。企業グループ全体での事業棚卸を行うことが当初は難しいようであれば、まずは国内事業だけ、本社だけを対象にするといった代替案も考えられる。経営トップの理解や社内の他部署を巻き込む方策を考えることも、取り組みの初期段階から行っておく必要があるだろう。

木材関連企業のSDGsおよびESG課題の担当者は、現在、このような困難なチャレンジに取り組まなくてはならないが、企業経営の根幹にかかわる仕事であるという誇りをもって、積極的に業務に取り組んでいただきたい。

（安藤範親、長坂健司）

参考文献

笹谷秀光：Q & A SDGs 経営, 日本経済新聞出版社, 2019 年

河村奏瑛, 井上雅文：木造軸組住宅部材の国産材率増加による経済波及効果, 木材学会誌 66（1）, 2020 年.

建築関連産業と SDGs 編集委員会：建築産業にとっての SDGs（持続可能な開発目標）―導入のためのガイドライン―, 日本建築センター, 2019 年.

日本建築家協会：SDGs 建築ガイド日本版, 日本建築家協会, 2019 年.

補論

研鑽会「木材産業における ESG」　講義録

研鑽会「木材産業における ESG」の概要

■目的

　近年、気候変動問題に関するパリ協定や持続可能な開発目標（SDGs）に対する市民の関心が高まっている。このような背景から、各国の年金基金などの機関投資家は、投資先企業による環境課題、社会課題、コーポレートガバナンスに対する取り組みを評価した上で、投資ポートフォリオを見直す動きを加速している。この投資手法は、これまで一般的であった財務情報のみに基づくものとは異なることから、環境（E）、社会（S）、ガバナンス（G）の頭文字を取り ESG 投資と呼ばれている。ESG 投資の市場規模は 2016 年時点で約 22.8 兆ドルとなり、世界の全運用資産残高の 1/4 を占める。このような機関投資家の動きに対応し、経営の主軸に ESG 課題への対応を置く上場企業が増えている。

　木材産業は木材資源を利用する産業であることから、企業活動そのものが地球環境貢献（E）や地域経済効果（S）に貢献できる。そのため、木材産業各社は、機関投資家にとって有効な ESG 投資先となる潜在力を持つ。しかし、これまで木材産業は、一部の先行事例を除き ESG 観点からの事業ポートフォリオ整理が十分ではなく、ESG 情報の発信も少ないため、投資家に適切に評価されているとは言いがたい。

　木材産業のイノベーションによる木材需要拡大を目的とした木材利用システム研究会は、木材産業とアカデミアの相互理解と協調の場を築き、木材の加工・流通・利用分野の「環境および経済評価」「マーケティング」「政策」を対象とした取り組みを 2011 年から行っている。当研究会では、ESG 投資の拡がりを受け、木材産業を ESG の観点から再評価し、木材産業に対する投資家、社会、労働力市場の注目度を高めることを通して、木材産業および関連企業の価値を向上させ、木材利用のさらなる促進を図ることを目的に、会員有志による研鑽会「木材産業における ESG」（以下、研鑽会）を 2018 年 4 月より立ち上げた。

■参加企業

フェイズⅠ：2018年4月〜9月

	企業・組織名	業種
1	J－ケミカル	木材用接着剤製造
2	前田建設工業	建設
3	タマホーム	ハウスメーカー
4	日本ノボパン工業	パーティクルボード製造
5	ナイス	建材商社
6	マルホン	木製フローリング販売
7	積水ハウス	ハウスメーカー
8	大建工業	建材製造販売
9	竹中工務店	建設
10	地球環境戦略研究機関	―
11	防波システム研究所	―
12	農林中金総合研究所	―

フェイズⅡ：2018年10月〜2019年

	企業・組織名	業種
1	J－ケミカル	木材用接着剤製造
2	前田建設工業	建設
3	タマホーム	ハウスメーカー
4	日本ノボパン工業	パーティクルボード製造
5	ナイス	建材商社
6	マルホン	木製フローリング販売
7	積水ハウス	ハウスメーカー
8	大建工業	建材製造販売
9	竹中工務店	建設
10	JKホールディングス	建材商社
11	高橋木箱製作所	木枠梱包
12	住友商事	商社
13	飛島建設	建設
14	農林中金総合研究所	―

■活動成果

フェイズⅠ
（1）ESG 投資の枠組み理解

　計6回の講義を通して ESG 投資に関する基礎的な知見と現在の動向について学習した。講師として、井上雅文教授（東京大学）、田辺敬章氏（環境省大臣官房環境経済課環境金融推進室）、水口剛教授（高崎経済大学）、松川恵美氏（株式会社グリッド＆ファイナンス・アドバイザーズ）をお招きした。

（2）国内先進事例の把握

　株式会社マルホンおよび地球環境戦略研究機関の事例を把握した。

（3）各社の ESG 指標からみた活動の棚卸

　参加各社の協力の下、ESG の観点から事業活動の棚卸を行った。木材産業と関連の深い諸指標から参加各社の事業活動を再評価した。

（4）海外先進事例の把握

　水口教授の講義にて、ESG 投資で先行する欧州の最新動向として、欧州委員会サステイナブル金融ハイレベル専門家グループ最終報告について把握した。

フェイズⅡ
（1）国内外先進事例の把握

　フェイズⅡではフェイズⅠで得た知見に基づき、業界内外の先進企業の事例把握に集中して取り組んだ。講師として、飯塚優子氏（住友林業株式会社）、佐々木正顕氏（積水ハウス株式会社）、田原象二郎氏、高島真由氏（スターバックスコーヒージャパン株式会社）、藤田香氏（日経 BP 社）をお招きした。

（2）機関投資家との対話

　アセットマネジメント One 株式会社責任投資部より、寺沢部長、櫻本チーフ ESG アナリストらをお招きし、当研鑽会参加メンバーとともに、ESG 投資家の観点から見た木材産業への期待と課題について対話を行った。

（3）木材産業と ESG に関する書籍出版

　木材産業にかかわる実務者を対象に、ESG の基礎知識や木材産業における ESG の役割などを解説する書籍（本書）を出版した。

日時：2018年5月25日（金）15:00 ～ 16:30

会場：東京大学農学部フードサイエンス棟1F会議室

講師：田辺敬章（環境省大臣官房環境経済課環境金融推進室室長補佐）

■はじめに

　オファーをいただきまして、どのような資料を用意したらよいかと考えたのですが、今回は、ESG投資の背景と世界や日本における現状をお話した上で、環境省が今どんなことをやっているかを紹介したいと思います。

■地球のおかれた危機的状況

　まずデータによるファクトの部分です。産業革命以降、大気中のCO_2の濃度はかなり上昇しています。日本の平均気温、海水温も上がっており、例えば東北の沖合で、ここ10年でとれる魚の種類がごそっと変化してきているというようなデータも出ています。さまざまなセクターの方々が、この温暖化による影響を如実に感じているところがあるのではとないかと思っています。

　このまま放っておくと、危機的な状況になってくるのではないか、おそらく皆さんも変化を感じとっていらっしゃるのではないかなと思いますが、この4月、5月は非常に暑いですよね。日本の気候も熱帯雨林のような気候になってきているのではないかなと感じたりしています。また、台風の通り道が変わってきて、今まで全く被害がなかったようなところにまで大雨の被害が出てくるというようなことが起こっています。

　熱中症に関するデータでも、やはり夏季の平均気温がかなり高くなっていて、死亡者数もかなり増えていることがデータで出ています。これは一昔前に比べると、非常に多くなっています。加えて、洪水です。こちらも非常に多くなっていて、特に土砂災害が非常に増えてきているということです。

　災害が起こると経済的な損失も非常に大きいですよね。例えば過去30年ほどのデータで見ますと、全体として影響が大きくなっています。ユニリーバというイギリスとオランダに本社を置く大企業では、SDGsに大変積極的に取り組まれています。というのも、アフリカで気候変動の影響による干ばつの被害があった

りすると、年間に数十億ドルの損失があると聞きました。それだけ企業業績に直結することを身に受けてらっしゃるということもあり、SDGsの達成に向けて真剣に取り組まれています。

　日本の保険会社にも影響があります。例えば、住宅に関する保険は、かつては36年間という長期の契約ができて、しかも、それを初回に36年分まとめて支払うことで節約ができていたのですが、現在では、10年ぐらいまでの契約しかできなくなっているそうです。

　皆さんになじみの深いセクターですと、主要農産物の収穫量や品質が、気温の上昇によって変わってしまうということが挙げられます。ある県知事さんのお話しによると、やはり農業への影響が非常に深刻化しているのだそうです。温暖化が進むとコメの品質はとても悪くなるので、温度変化に対応するような品種改良をしていかなければならないし、ミカンであれば、今までこの場所だと少し寒いから栽培できなかったけれども、栽培できるようになったというように、収穫可能な地域が変わってきている例があるんですね。

　世界経済フォーラム[1]の報告書では、毎年、重大なグローバルリスクを挙げています。2012年からは毎年あまり変わっておらず、極端な異常気象が上位のリスクに位置づけられています。また、パリ協定に関連して当時のオランド大統領は「気候変動の問題は、テロに対する争いと全く変わらない。この2つの問題は世界のみんなで解決していかなければならない問題」とコメントしていたのが大変印象的でした。

■持続可能性を巡るメガトレンド

　ESG投資とは何だろう、というところに徐々にフォーカスしていきたいと思います。

　SDGsは皆さんご存知かと思います。これは、どこの国に行っても変わらない共通言語です。皆さんは、CSRレポートやサステナビリティ報告書のなかで、SDGsをいかに自社のビジネスに関連づけて整理し、情報開示するかということを考えていらっしゃると思います。実際には、17のゴールにそれぞれ紐づけられている169のターゲットを1つ1つ細かく自社のビジネスと照らし合わせ、考えていくことが企業戦略を構築していく上で参考になると思います。

　現在のESGに関する情報開示の流れの中で重要なものに、イギリスの中央銀行総裁による「気候変動問題は、金融システムの安定を損なう可能性がある」と

いう発言があります。大きく物理的リスク、賠償責任リスク、移行リスクの3つについて言及されたのですが、そのうちの移行リスクが最も重要と考えています。低炭素経済もしくは脱炭素経済に移行していった際に、企業の評価が、気候変動の要素を組み入れることによって変わっていくのではないかということで、特に保険と銀行セクターに、ポートフォリオの検証を求めたということがきっかけとなり、TCFD[2]という作業部会ができました。そこで議論がスタートし、2017年の6月に最終報告書が出されました。その内容は、財務情報と同様のステータスで気候変動に関する非財務情報を開示してはどうかということです。具体的には、気候変動に関するシナリオ分析の評価を加えようということです。各国を見てみると、特にフランスが先を行っていると思います。フランスではすでにエネルギー移行法があります。アメリカは州ごとによって法制度が違うのでなんとも言えませんが、EUでは、足下の財務情報だけではなく気候変動による影響を組み入れた財務情報にしなければならないということが法律化されつつあります。

　このTCFDのシナリオをどのように企業の財務報告書に組み込むかという点は、難しいテーマです。日本の先進的な企業は、今年のサステナビリティ報告書などにおいて、TCFD提言を踏まえたシナリオ分析を行った上で、自社の中長期的なビジネスモデルを考慮して、5年後10年後こうなりますということを記載する企業が出てくるかもしれないという状況です。

　実際にTCFDに参加している企業は、2018年2月時点では世界で250社程度。現在はすでに270社を超えており、日本は現在9社になっています。ただ、それ以外に、その他機関というところがあり、金融庁と日本公認会計士協会も署名・賛同しています。

　皆さんすでにお聞きしたことがあるかと思いますが、RE100というイニシアティブがあります。自社の使用するエネルギーを100％再生可能エネルギーでまかなうことを宣言するというもので、日本の企業でもコミットされている企業が多くなってきています。

　その他に、SBT（Science Based Targets）と言いまして企業の皆様が2℃未満を目標に気候科学に基づく削減シナリオと整合した削減目標を設定していこうということなのですが、環境省ではSBTを取り入れようとする企業を支援しています。早いうちにこのSBTを取り入れる企業を100社以上にしていきたいというのが目標です。

■投資家の動向

　ここからは投資家の動向について話をしたいと思います。今、何が起きているかというと、ESG 投資を行う上で、企業との対話が非常に大事だということが取り上げられています。対話の数も大事なのですけれど、質が大事ということです。ただ、企業の方々からすると、十分に情報開示はしているのだけど、投資家からの恩恵を受けていないという声が多いようです。逆に投資家からすると、企業の情報開示は十分ではないとの声が聞こえてきています。要するに、投資家の方々と、企業の方々との間にギャップがあるんですね。そのギャップをいかに埋めていくかが重要であり、そのギャップを埋めるような取り組みを行っていきたいと考えています。また、運用機関の方々は、アセットオーナーに対して運用報告をしなければなりません。この運用報告も結構大変なのだそうでして、そこを支援できるような仕組みも作っていければと思っています。

　今、ESG 投資の世界で最も影響力のあるものが、責任投資原則（PRI）です。PRI には 6 つの原則が定められています。PRI に賛同する投資家は、この 6 つの原則に沿って投資を行っていくことになり、6 つの原則に従って本当に投資しているのかどうか報告が求められています。

　2015 年に年金積立金管理運用独立行政法人である GPIF が、この PRI に署名したことで、日本においては非常に影響があったと言われています。昨年ベルリンで行われた PRI の総会に出席しましたが、GPIF の水野 CIO の発言には、世界中の投資家から注目が集まっていると肌で感じました。

　また、Climate Action100 ＋というイニシアティブが 2017 年 12 月にレポートを公表しています。これは、世界の企業の中で、二酸化炭素（CO_2）排出量が多い 100 社に対して投資家がエンゲージメントを行い、気候変動に対応した企業活動へ促していこうというイニシアティブです。この 100 社のうち 10 社は日本企業です。トヨタ、日産、ホンダ、スズキ、新日鉄住金、パナソニック、東レ、ダイキン、日立製作所、JX ホールディングス。当初は 250 ほどの機関投資家が参加していました。その数はかなり増えているようですが、すでに海外の投資家はそういった企業との対話を行っているのですが、日本でも徐々に始まりつつあるのではないかなというのが私の感想です。

　CDP は、ロンドンを本部とした国際 NGO であり、企業に気候変動に関する質問書を送付し、回答を評価して企業のスコアを主に機関投資家に開示するフレー

ムワークの１つです。その重要性を鑑みて、日本企業の回答率は年々高くなって来ています。

　話を GPIF に戻しますと、ESG インデックスの選定をした動きは非常に影響があったと思います。

　また、最近のニュースで、大手保険会社のアクサが、石炭への投資をやめますというだけでなく、保険引受もしませんとコメントしました。続いて、アリアンツというドイツの保険会社からも同様のコメントが発表されました。

　ドイツでは、全体の半分以上が石炭火力発電に頼っているのに、そのお膝元であるアリアンツ社が石炭関連には投資しない、保険引受も行わないことは驚きでした。

■グリーンボンド

　ここまでは株式を中心に話をしてきましたが、グリーンボンドも世界では活発に発行されています。日本においては、これまで外貨建てでは発行されていましたが、ここに来てやっと円建てのグリーンボンドが発行されました。

　環境省は、2017 年にグリーンボンドガイドラインを作成しました。海外ではグリーンボンドのプリンシプルというものがありまして、これはそれに準じ、日本向けにわかりやすく解説したものです。本年度は、グリーンボンド発行促進プラットフォームを構築するなど、発行に向けた支援を行いたいと考えています。グリーンボンド市場が日本においても活発になり、その資金がグリーンプロジェクトに向いていけばよいのではないかと思っています。

　最後に、ESG 投資に関して今後環境省はどう支援していくかということについてです。当課は金融をメインに担当していますので、各金融業界の主要なメンバーに集まっていただき、ESG 金融懇談会[3] を開催しています。この１月から開催し、現在４回開催しました。次回は５月末に開催し、６月に１回か２回行った後、その議論の取りまとめを行う予定です。環境省は、投資家の皆様と企業の皆様との橋渡し的な役割を担い、我が国において一層 ESG 投資を普及促進していきたいと考えております。

　ご清聴ありがとうございました。

注

１）世界経済フォーラム：官民両セクターの協力を通じて世界情勢の改善に取り組む非

営利団体。スイス・ダボスで行われる年次総会は「ダボス会議」と呼ばれ、世界の政官財キーパーソンが集うことで知られる。

2）TCFD：気候関連財務情報開示タスクフォースの略称。各国の中央銀行総裁および財務大臣からなる金融安定理事会（FSB）の作業部会。投資家に適切な投資判断を促すための、効率的な気候関連財務情報開示を企業へ促す取り組み。

3）参照　http://www.env.go.jp/policy/esg/kinyukondankai.html

講義 2 ESG 投資の可能性

日時：2018 年 6 月 26 日（火）16:30 ～ 18:00

会場：東京大学農学部フードサイエンス棟 1 F 会議室

講師：水口剛教授（高崎経済大学経済学部）

■はじめに

　普段は ESG 投資とは何かという、一般的な話をすることが多いのですが、この研究会では前回、環境省の田辺さんからすでに聞かれていると思います。ですので、今日はもう少し踏み込んだ話を用意しました。踏み込んでいくに従っていろいろ差しさわりあることが増えてくるかと思いますが、そこはお許しください。

■講演依頼時にいただいた説明について

　この研究会の趣旨についてメールでご案内いただいた際に「木材利用システム研究会が、木材・木造住宅産業の ESG 情報を整理し、業界の ESG 指標作成を検討する研鑽会を立ち上げた」という文面を頂戴しました。このご案内を見たときに私が思ったことは、この ESG 指標、特に業界の ESG 指標はどういうものを意図しているのか、ということ。それはおそらくいわゆる CSR 指標のようなものかなと。すると CSR と ESG の違いをどう理解されているのかが最初の疑問として感じました。CSR も「企業の社会的責任」ですから、よいことをする、そういうイメージなのかな、という漠然な思いを抱きました

　今回の講演に先立ち、具体的な質問を研鑽会参加者の皆さまから事前に頂戴しておりました。このような質問というのは、大変ありがたいもので、質問からESG について皆さんがどのように理解されているのかが見えてきます。

■質問 1

　1 つ目の質問は「欧米中心型指標から脱却することは可能か」、「日本独自の指標は確立できるのか」、「それともグローバル化が進む今、欧米のルールメイキングに従わざるを得ないのか」、こういう質問でした。この種の質問はよくあり、他の業界でも聞かれます。

　この質問からわかることは、欧米のルールメイキングに従わざるを得ないと

いうある種の業界の皆さんの不満があることが読み取れます。おそらく、欧米が有利になっていて日本が不利になっているという理解がされているのではないでしょうか。では、欧米のルールメイキングとは何か。それは、例えば報告に関していうと、GRI[1] や IIRC[2] とかをイメージされているようです。どれも確かに、GRI はオランダ、IIRC はイギリスに本部があるので、海外が主導して報告書のガイドラインを決めている、というのはその通りですね。あるいは、FTSE4Good[3] や DJSI[4] などの ESG 指標というものもあって、これも海外がやっている。海外企業が有利で日本はそのルールに従わなければいけないのか、という不満があるのだろう、と思います。逆にいうと DJSI、FTSE4Good は欧米に有利で日本に不利と理解されることが多いが、果たして本当にそうなのでしょうか。

FTSE4Good、DJSI と欧米企業との間にも、もちろん競争はあります。これは欧米企業の中でよい企業を選ぶためにわざわざこのような指標があるわけなので、欧米企業でも DJSI に選ばれずに不満を持っている企業はもちろんいっぱいあるわけです。

気候変動などのグローバルな課題では、どこが基準を作っても同じような基準になるのかな、と私は考えます。一方で、DJSI に決して入ってこないものもあるはず。それは日本に固有の課題です。例えば人口で言えば、世界はまだ人口は増加していて、今 72 億人の人口は 90 億人まで増えるはずなんですね。これに対して日本は少子高齢化で人口は減っている。こういう意味で、日本独自の指標はありうるでしょう。

■質問 2

「運用がアクティブ運用で投資をされている企業と、パッシブ運用で投資をされている企業がある。パッシブの場合には ESG に対応すると差別化が可能だが、アクティブに対しては企業の成長性や戦略性に投資をしているため ESG への対応がおろそかになる、または遅れがちになるのでは」、という質問。

この質問は、私には疑問です。アクティブ運用が企業の戦略、成長性で投資されているという認識は確かにその通りで正しいと思う。成長性が高く、戦略が優れている企業に投資している。しかし、その結果 ESG の対応がおろそかになるというのはどういう意味なのか。それは、成長性や戦略性と ESG というものは基本的には別のものだということが暗黙の前提としてあるようです。そしてかっ

こ書きでわざわざ「戦略にESGが含まれている場合は別」とある。つまり、普通は戦略の中にESGに対する事柄が含まれていないという理解がされているということが窺えます。

これが現状であり、普通の人がESGというものを思う時の認識だろうと理解しました。面白い情報です。もちろん、私の認識は逆です。特にアクティブ運用の投資では、当然ESG要因は成長性や戦略性に組み込んでいくこと、それがESG対応であり、ESG投資の本質ではないでしょうか。

■質問3

ESG情報の開示は大変な時間と労力がかかる。実際何社くらい行っているのか、という極めて実践的な質問。

後半の質問に答えることは容易です。その前に、このような質問がされる背景は何か、を考えました。おそらくこの質問の背景にはESGの対応というのが報告書を作ることであるという認識があるから「報告書を作成するのが大変、どこに頼んだらいいのか」と思うのだろう。これはあながち間違いではないが、ESGの対応が即、開示の話に繋がるということは、前段が忘れられているのではないでしょうか。

ちなみに、何社くらいの報告書を作っているのかについては、簡単なので、最初にコメントさせていただきます。環境省が毎年、「環境に優しい企業調査」をしており、この調査によると、アンケートに回答した企業1,674社中、環境報告書を作成している企業は277社、CSR報告書の一部として環境報告書を作成している企業は358社。合わせると600社くらい。全体の38.9%ほどが作成している。上場企業の方が作っている割合が多く、全体の57%くらいは環境報告書あるいはCSR報告書を作っている。非上場企業でも30%は何かしらの報告書を作っています。

統合報告書に関しては、企業価値レポーティングラボというグループがあり、ここが調査をしている。統合報告書と自ら名乗っているレポート、あるいは明らかに統合報告書を意識していると思われる報告書を数えています。2017年時点で341社が作っているという結果でした。もちろん、東証一部上場企業のみで2,000社、日本の上場企業全部合わせると3,600社くらいあるので、そういう意味ではまだ少ないかなという状況です。

■質問 4

　最後に、「ESG 情報の開示が受託資産と明確につながっている事例があるのか」。この質問はおそらく先ほどの質問と繋がっていると思うが、つまり、ESGの情報を開示、それによって投資が増え、受託資産が増える、というストーリーが頭の中にあり、もし本当にそうなるなら ESG の情報開示に取り組もうか、という意図なのでは。

　この質問に答えるに先立って、これらの質問から皆さんの中で ESG 投資ということがどんなイメージで受け止められているかということが見えてきます。それは会社が統合報告書や CSR 報告書を作る、それが ESG 評価機関によってレーティングされる。そのレーティングが高いと ESG インデックスに組み込まれる、そのおかげでお金がどんどん入ってくる。こういうストーリーとして、だからとりあえず報告書を作り、うまく ESG インデックスに入るようにしたい、こういうものとして受け取られているのかと想像しました。どの業界でも似たようなイメージなのではないかと思います。

　このイメージがある一方で、報告書を作るのは労力がかかり、自分で作るのは大変だからコンサルを使えないかと思ったり、この労力を上回るメリットがあるのかと当然考えたりする。このレーティングの評価基準自体がそもそも欧米中心でアンフェアなのでは。日本独自の指標を提案して日本企業がよく評価されるようになるべきでは、という意見は日本企業の中では強いです。1 つの問題としてESG インデックスとして FTSE4Good、DJSI、MSCI [5] などがあり、ここにどのようにして選ばれるかが実務的には重要、という理解なのでしょうか。

　これが間違いとは言わないが、1 つ忘れられているのが、経営そのものを変革するという視点です。とりあえず現状の経営をしていかによい報告をするのかに焦点が当てられている。ESG 投資に焦点を当てたときにどう経営を変えていくのかを考えなくてよいのでしょうか。

　言い換えると、この報告書中心の考え方は CSR とあまり変わらない、違いが明確に把握されていないように思います。CSR をきちんとやると投資家もきちんと評価するようになり、お金も入るようになった、投資家も勉強したな、とこういうふうに思われているのかなと思います。投資家も単純にレーティングしてインデックスに入れるというだけの投資家もいるので、ESG 投資の中もまだ幅が広いです。

■多様な ESG 投資方法

　具体的な ESG 投資の方法はかなりばらついているため、ESG の中が多様化してきているということを先に説明したいと思います。ESG 投資は大きく分けると株式投資か債券か、それ以外の不動産やインフラか、というようにいわゆるアセットクラスと言いますが、投資対象によって分かれます。もちろん一番進んでいるのは株式投資の世界ですが、最近、債券投資に関してもグリーンボンドやインパクト投資といった議論が生まれてきました。これに関しては後ほどご説明します。

　一方、株式で ESG 投資をする場合、大きく分けると 2 段階あります。1 つはどういう投資先を選ぶのか、投資先を選ぶ段階。もう 1 つはいったん投資をした後に株主としてどうするのか、という段階。この 2 番目の段階、つまり、株主としての行動が一般に「エンゲージメント」と呼ばれるもので、株主として相手の企業に環境や社会に対しての対応を要求していくものです。

　一方、投資先の選別では、いろんな方法があります。一番昔からあるのは「除外」という方法で、例えば酒、たばこ、ギャンブル、兵器産業には投資をしない。最近では石炭火力発電には投資しない、あるいは株式を持っていたら売り払う。これは「ダイベストメント」と言います。それから「スクリーニング」「インテグレーション」という方法が出てきた。この「スクリーニング」と「インテグレーション」が前段の質問のキーだと思われるので、順番にご説明していきます。

　「スクリーニング」は、おそらく皆さんの ESG 投資に対する一般的なイメージなのかと思います。まさに ESG のレーティングで、評価する側が環境、社会、ガバナンスという評価軸を持っている。環境なら環境の中で気候変動、水不足、森林問題など細かく分ける。さらにその気候変動に対する対応をブレークダウンして、方針、目標、達成度、数値化、開示など細かい指標に分けていく。それぞれについて会社の公開情報をもとに点数化する。私がかかわった ESG 評価機関では 30 人ほど人を雇っていて、日がな一日パソコンを検索し、対象となる企業の HP（ホームページ）に行き、その企業の開示情報をずっと検索している。その時に順番に CSR レポートを読んでいくわけではなく、気候変動の方針があるかないか、ヒットする部分があるかないか、目標を作って開示しているかなどをチェックしていく。項目があったらその中身に対する充実度も点数化できるようにマニュアル的なものがあるので、それに沿って評価する。さらに各業種によって重要性が違うので、重要度によって細かく項目のウェイトを変えている。独自

の評価基準とウェイトによってランキングしていく。これが ESG のレーティング。

　こういうやり方なので、実は評価機関によって点数化の仕方は違います。FTSE4Good、MSCI でも評価基準はだいぶ違うし、世の中にはこのような評価機関は MSCI、FSTE4Good、oekom、VigeoEiris、Sustainalytics など、大手だけでも数社あり、小さなものまで入れると 100 社以上、みんな評価基準が違う。欧米の評価基準という話がありましたが、欧米の評価基準もバラバラです。GPIF [6)] は評価が成熟していないという指摘をされていましたが。そもそも評価基準の違いに評価機関の意見が現れるという主張もある。例えばドイツの oekom は環境に重点を置いた評価をする、という違いもある。

　このレーティングをもとに投資先を選ぶのがスクリーニングという方法。投資ユニバースというのは、投資することができるすべて、例えば日本では東京証券取引所に登録されている 3,600 社をユニバースと定義したり、一部上場企業のみをユニバースと定義したりと、投資家によってどこまでをユニバースとするかは異なる。このユニバースをもとに、ESG レーティングで A と B しかそもそも投資をしない、というような形でスクリーニングをかける。もちろん環境、社会によいというだけで投資をするわけにはいかないので、さらに売上げが伸びているかなど財務的なスクリーニングをかけ、株価の割高・割安なども見て売りか買いかを見定める。これがスクリーニングの基本的な流れです。

　ESG の評価はレーティングで総合評価をして、その次に財務的なことを見る、というやり方が一般的だろうと思います。この種のスクリーニングが伝統的なやり方で、今でも GPIF が採用する ESG 指数を作る場合などに使われています。しかし、欧米の ESG 投資というのは、もはやスクリーニングの時代は徐々に終わりつつあり「インテグレーション」という時代に移りつつあります。

　現在、ESG 課題への対応を行うことで、財務的にも利益になるかどうかという実証分析が盛んに行われています。一応、財務的にも利益になる、という結果は出ているのですが、投資家の立場からすると、直接、本当に ESG がリスクや利益とどう影響するのかを分析することが必要なのではないかということで、今や「インテグレーション」の時代になりつつあります。

　「マクロ経済分析」や「業界分析」と言うのは、通常の財務分析のプロセスでして、通常のアクティブ運用で投資先を選ぶ際にはマクロの経済環境を見ながら業界の分析を行い、その業界の中でも個別の企業分析を行い、最終的な投資判断をする

という、ボトムアップのアクティブ運用はこのようなプロセスを経る。

　このアクティブ運用のボトムアップ分析過程の中で、それぞれ ESG に踏み込んでいくというのが「インテグレーション」という方法でして、例えば気候変動がこれから問題になるから、いつかは石油、石炭はダメになるだろう。そしたら石炭が使えなくなるときに石炭火力発電を大量に保持している電力会社は大丈夫なのか、鉱山開発する企業は大丈夫なのか、鉱山開発するとしたら建設機械の企業は大丈夫か。

　逆に電気自動車が伸びてくるとしたら、エンジンは使えなくなるから、エンジンの金型を作っている会社はもうダメだな。その代わりに、モーターを開発する会社は伸びそうだ、モーターを開発している会社の中で、一番競争力がありそうなのはどこか、と考えながら投資をする、というのがインテグレーションの考え方です。戦略性と成長性の評価の中に ESG を組み込んでいくイメージ。

　今後、戦略と成長性の中に ESG が組み込まれていきます。そして、木材産業はそこに密接にかかわってくる気がします。これは 1 年 2 年の話ではありませんが。例えば大手の商社は石炭の権益をかなり持っている。相当お金をかけ、オーストラリアなどの鉱山の権益を買った。私は「それは座礁資産です」と言うんですが、やはりご不満なんですよね。石炭がエネルギーとして使えなくなるのはわかったが、鉄鋼はある。鉄鉱石から鉄鋼を作るためには石炭が必要。還元するときの原料として使う原料炭はどうなるのか。原料炭は高炉に必要だろう。大きな高炉メーカーがある以上、原料炭の需要はなくならないだろう。原料炭が使われる限り、鉱山の役割はなくならない、とそうおっしゃるんですよね。

　これに対して、私もすぐに答えはありません。現状、鉄鋼のない世界は考えられないし、高炉で原料を作る以上原料炭は外せないかもしれない。もしかしたら高炉から電炉へ大きくシフトし、高炉を使わなくなり、すべて再生の鉄だけ使うようになるかもしれない。最近品質もよくなってきてるので、電炉に移ってくるかもしれません。でも電炉で作る時にも石炭はいるそうなので、全く石炭を使わなくなるというわけでもない。

　と、いうようなことを考えていたら、2050 年を目指して、木で高層建築を造るという研究をしている会社もある、と。いつか鉄筋コンクリートではなくて、木で建物やいろんなものが作れる世界にならないか、と考えている。なるほど、と思います。そう言われて思い返すと、日本には 1,000 年も前からずっとある建物は全部木でできているわけではないですか。木造建築が長持ちするというのは

あるし、そういう視点もあるのでは。

　ですから長い目でみると、鉄筋コンクリートの競争時代ではなくなるかもという構想がこれからあるかもしれない。そうすると、木材産業に成長の機会があるのかもしれない。そういうことを思いました。

■なぜ ESG 投資をするのか

　投資家の立場に立って考え、彼らが ESG 投資をする動機を理解することが、皆さんの考える業界としての ESG 指標を作成する、日本独自の指標を考える上での出発点になるのではないでしょうか。

　では、投資家はなぜ ESG 投資をするのでしょうか。その動機は 2 つあると考えられています。1 つは投資判断。ESG 要因というのは、例えば石炭、電気自動車など、まさに事業のリスクとリターンにかかわってくる。ESG を考慮する方が、投資につながる、という考え方。これがおそらく多くの ESG 投資家の考え方です。

　一方で、これを超えた考え方もあります。ユニバーサルオーナーシップという考え方。ユニバースは投資対象全体のこと。例えば GPIF などは、巨額の資金を持っているため、個別の銘柄を選んで投資するということはしない。株式投資としての 8 割くらいはいわゆるパッシブ運用です。おそらく日本に上場している企業のほとんどを買っているはず。つまり、分散投資をすると、全部の企業に投資することになる。このように、世の中のすべての企業に幅広く投資している投資家のことを「ユニバーサルオーナー」といいます。ユニバース全体に投資をしている人です。GPIF だけではありません。ノルウェー政府年金基金、オランダの公務員年金、スウェーデンの国民年金など規模の大きい政府系の基金とか年金は皆ユニバーサルオーナーにならざるを得ないんだと思います。

　そういうところにとっては、個別の投資先が儲かった儲からなかったというのは問題ではない。経済全体に投資しているわけですから、経済全体がこれから上昇するのか下降するのかが、彼らの投資パフォーマンスに影響してくる、こういうことなんだと思います。例えば、ある会社が利益を上げようと思えば、やっぱりコストを下げようと思う。コストを下げようと思ったら、人件費を下げようとする。人件費を下げようと思えば、正社員を削って、なるべく多くの社員を非正規に換えて行こうとする。非正規に置き換えれば目先の利益が上がるかもしれない。しかし自分がそれをすれば、他の会社も同じようにするかもしれない。そうして世の中の会社がすべて非正規雇用を増加すると、経済全体で考えると世の中

の人の大部分を非正規が占めて、みんなが貧しくなる。そしたら誰がものを買うのか、ということになる。誰もものを買わなかったら結局日本中の企業が不況に陥る。今までこのような流れが起きてきていた。その中で一番損をするのは、経済全体に投資してきたユニバーサルオーナーです。だから彼らはきちんと従業員にまともな給料を払い、それなりの経済を維持することを望んでいる。

例えば、ある企業が目先の、コストの安いエネルギーを得たいと思えば、石炭に行きますよね。しかし、みんながコストの安い石炭を使えば地球は温暖化して異常気象が頻発する。異常気象が頻発すれば何が起こるのか。2013 年にはタイの大洪水があったが、その際にはタイにあった日本企業の 300 社がすべて水浸しになった。あの事件で工場が止まったときに一番困ったのは、ユニバーサルオーナーです。全部に投資をしているから。たまたまこの 300 社を投資から外していた投資家は儲かるかもしれないが、彼らはそういうことはできない。そうしたら、環境を安定させるように、異常気象が起こらないように投資をすることが彼らのメリットなのです。だから彼らは、こういう「負の外部性」や経済格差の拡大を避けようとします。そうしないと異常気象が進み、環境破壊が進み、経済格差が広がるという危機感を持っているからこのようなことをしているわけです。

■ ESG 投資の目的と方法

おそらく、利益を追求してアクティブに投資をしている人は投資判断を改善するというような投資の仕方をするだろうし、ユニバーサルオーナーは通常パッシブに運用するため、このような判断になるんですね。これを整理すると、アクティブ運用とパッシブ運用では、ESG 投資の目的が違います。アクティブ運用で典型的な ESG 投資をする人たちはリスクとリターンを追求するし、パッシブ運用で ESG 投資をする人たちはエンゲージメントを使って、投資先の企業に対して制限をかけていくのが主流になるでしょう。

ESG 指数がパッシブ運用でどのような意味を持っているかというと、おそらくメッセージなんですね。業界としての取り組みを底上げしてほしいというメッセージとして使われているのでは。逆にアクティブ運用でのスクリーニングは、おそらくインテグレーションに行くまでの入門編として存在している、これが正しい理解なのではないのかな、と考えています。

■欧州委員会のアクションプラン

　ESG 投資を政策的に推進する動きが今、ヨーロッパで起きています。なにしろ ESG 投資というのはヨーロッパ生まれのため、ヨーロッパで何が起こっているのかを見ると、やがて日本でどうなるかが少し予想できます。そもそも ESG 投資の基盤となった責任投資原則（PRI）は 2006 年に公表されたのですが、ヨーロッパではその当時からノルウェーの政府年金基金やオランダの ABP などが署名をして活動してきたわけです。ところが日本ではこの責任投資原則はしばらくはあまり注目されず、2015 年になって GPIF がこれに署名をした。そしたら突然日本に ESG 投資が広がった。つまり、ESG 投資自体もヨーロッパから約 10 年のタイムラグを持ってやってきている。

　では、今ヨーロッパでは何が起こっているのか。ヨーロッパでは、欧州委員会の中にサステナブル金融ハイレベル専門家グループというグループを作って検討させ、今年（2018 年）の 1 月末に報告書を出した。つまり専門家からの一種の提言が出たということです。サステナブルファイナンスを推進するために、こういうことを欧州委員会がやるべきだ、という提言です。これは専門家のグループが出した提言なのでかなりとがった提言だったのですが、驚くのはこの最終報告が 1 月 31 日に出たら、それを受けて 3 月 8 日に欧州委員会が即座に今後の方針となるアクションプランを出したことです。このアクションプランでは提言をほぼ受け入れ、10 項目の具体的なアクションを約束しました。

　面白いのは、そもそもなぜアクションプランを作ったのかという目的が最初に書いてあるのですが、それが 3 つある。1 つは、まず持続可能な成長を実現するためにサステナブル投資に資金を振り向けること。これは例えば気候変動を防止するためには、ヨーロッパだけで年間 1,800 億ユーロの投資ギャップがある、など試算があるのですが、そこにお金を回すために民間のお金を誘導するということ。2 つ目は気候変動などから生じる財務的なリスク管理。3 つ目は、金融と経済における透明性と長期主義を育てる、と唱えています。

　特に 2 つ目が重要です。普通「ファイナンシャル・リスク」というと、企業の中での負債リスクが高くなり、倒産するリスクが高くなることを呼びますが、ここでいう「ファイナンシャル・リスク」はそうではない。『環境と社会のゴールを、金融の意思決定に組み込むということの目的は、環境と社会のリスクの財務的なインパクトを抑制すること。例えば、世界の平均気温（変化）が 2℃ になると、ヨーロッパの経済や金融システムに多大な影響が起こる』みたいなことが書いてある

わけです。つまり、ここでの「ファイナンシャル・リスクの管理」とは、気候変動や環境悪化の社会的課題から生まれる財務的なインパクトをできる限り抑えたいということでして、いわばユニバーサルオーナーの考え方なんだろうと思います。

こういうことを欧州委員会が言っているということは、ポジティブな影響を経済に与えたいということと、ネガティブなインパクトをできる限り抑えたいということなんですね。これからのキーワードサーチはインパクトなんですね。ポジティブインパクトをいかに与え、ネガティブインパクトをいかに削減していくかというのが目指されている。

■アクションプランの内容

具体的なアクションプランは10項目あります。特にアクション7では「機関投資家とアセットマネジャーがサステナビリティ・リスクを考慮する義務を明確にする」と言っている。Clarify する（明確にする）、と言っていますね。

私がすごいな、と思うのは、ESG 投資は責任投資原則という名称からもわかるように、「レスポンシブル・インベストメント」と言われるんですね。つまり投資家のレスポンシビリティ、すべて「責任」なんですね。しかしここでは「duty」という英語を使っている。つまり、これからはサステナビリティを考慮して投資することは duty、義務にする、というアクションプランなんですね。もちろん、自主的に投資判断に組み込むんではなくて、それが義務だ、と言われたら金融機関もなかなか大変なので、今、金融機関は当然反発し、綱引きが始まっています。

アクション4も面白いんですね。アクション4は個人投資家向け。今までは機関投資家、年金等のプロの人向けの ESG 判断が ESG 投資だった。ところが、欧州のある調査によると、欧州の金融市場の40％が個人投資家の資金運用なんだそうです。そして個人投資家に向けたアンケートによると、特にミレニアル世代では、7割以上の人が「自分が投資をするときには環境や社会のことを考慮して投資をしたい」と答えるのだそうです。本当にそのように投資するかは別として、こういう意思がある。とすると、その人たちにそういうチャンスを与えるべきなのではないでしょうか。

日本にはファイナンシャルプランナーという仕事がありますが、欧州にも同じようなファイナンシャルアドバイザーという仕事があるんですね。株などを買うときにアドバイスをするという仕事。普通はどの株が儲かるか、というアドバイ

スをするのですが、そのアドバイスをするときに、必ずその個人のサステナブル・プリファレンスを聞かなければならないということを義務化しようとしている。

このサステナブル・プリファレンスというのは、その人が環境や社会のことをどれくらい大事だと思っているかというものです。サステナビリティに関するプリファレンス、つまり選好、好き嫌いを聞かなければならないという義務を課そうとしている。これも金融機関にとって大変手間のかかることなので当然反発が多く、このまま決まるとは思えませんが、しかしそういう方向で議論を進めている。そのくらい ESG 投資を組み込んでいこうという意思がある。さらに驚くのは 3 月 8 日にアクションプランが出て 5 月 24 日には実際に法案を欧州議会に提出しています。今は議会の途中なので、今後どうなるかわかりませんが、そこまで行っているんですね。

整理すると、ESG 要因が社会に対して持つ影響は、ポジティブな影響を持つものとネガティブな影響を持つものがある。ポジティブな影響を増やし、ネガティブな影響を減らしていく必要があります。そして ESG のポジティブ、ネガティブの影響が投資家にとっての、パフォーマンスとか、財務にどう影響するのかというと、リスクやリターンに直接的にかかわるもの、ユニバーサルオーナーのように間接的にかかわるもの、そして財務的には中立的なものの 3 つが考えられる。

当然、アクティブ投資では直接的な影響は考慮しなければならない。アクティブ投資であっても、直接的に ESG にかかわるならば考慮しなければならない。受託者責任上、当然です。ユニバーサルオーナーは間接的な影響まで考慮するのが合理的。そしてサステナブル・プリファレンスというのはいわばその先。特段自分の利益には影響がなくても、環境や社会にとってのポジティブなインパクト、ネガティブなインパクトを考えて投資をしたいということです。

これを ESG 投資の方法論と絡めていうと、アクティブ運用でインテグレーションというのは、直接的な影響のある図の A や B の領域にかかわる。これに対して特にユニバーサルオーナーがパッシブ運用でエンゲージメントするときは、ネガティブなインパクトをいかに減らすか、ということが重要になってくるんですね。一方、例えばグリーンボンドというものは、おそらくポジティブなインパクトを増やすことに意味があるのだと思います。これはなかなか難しくて、グリーンボンドを出したら、グリーンボンドを買った投資家が何か儲かるのかというのがポイントでして、グリーンボンドは普通のボンドと変わらないのですね。それなのに敢えてこのグリーンボンドを買うとしたら、図の C か E という意味しか

アクションプランの射程

〈ESG 要因の Social Impact と Financial Impact〉

財務的影響 / 環境・社会への影響	直接的	間接的	中立
ポジティブ	A	C	E
ネガティブ	B	D	F
	現行の受託者責任	ユニバーサルオーナー	個人の Sustainable preference
	← アクション7? →		← アクション4 →

アクションプランの射程

出典：水口剛先生講演資料（2018/6/26／　東京大学フードサイエンス棟会議室）

ないのではないでしょうか。

■ ESG 投資の本質

　ここまでのことをもう一度まとめると、ESG 投資の目的は、リスクや収益機会が第1の目的。これがユニバーサルオーナーという考え方まで広がった。最近ではさらに、個人のサステナブル・プリファレンスにまで話が広がった。つまり、目的は、個人の価値観まで含めると3種類に増えたのではないでしょうか。

　このうち、後者の2つは基本的にはソーシャルインパクトを追求する、という性質を持っています。これが長期的な目で見るとやがて市場の中に内部化されていくのではないかと考えます。1980年代から IPCC という組織があって、その頃から気候変動が問題視されていたが、当時は「環境保護団体が変わったこと言っているね」ということしか思われていなかった。しかし、時間が経つに従っ

て、今では石炭は座礁資産だ、電気自動車はビジネスチャンスだと言われるようになってきた。つまり、時間が経ってくると、やがてそれがビジネスの中に組み込まれてきて、普通の投資家が考慮するものにもなっていく。つまりタイムラグがあると思うのですね。

ですから気候変動はもう内部化されてきましたけれども、それ以外の問題はなかなかそこまで行かない。ですが、おそらく例えば魚の問題もそろそろ内部化されてくるのではないでしょうか。また、日本でも女性活躍が注目され始めています。昔から差別があり、問題になっていましたが、女性のビジネスでの影響が注目され始めたのは最近で、徐々に内部化されてきています。

■投資理論の拡張の必要性

これを理論的に考えると、投資の理論の拡張の重要性が浮上してくる。一般に投資の理論はリスクとリターンで考えている。同じリスクならばリターンの大きい方がいい。同じリターンならばリスクは小さい方がいい。結果的にリスクが高ければリターンが大きくなるという市場のメカニズムが、従来の投資の理論でした。

しかし今や、リスク・リターン以外にもう1つ考えなければならなくなった。つまり縦（リターン）、横（リスク）、奥行き（インパクト）、という3つの軸で判断する必要が出てきた。同じリスクで同じリターンだったらポジティブなインパクトの大きい投資の方がよい。あるいは、ネガティブなインパクトの小さいものがよい。こういう判断が働き始めている。このネガティブなインパクトを減らすことが長い目で見るとリターンに跳ね返ってくる。

そういう関係なんですが、これは非常に複雑です。リスクとリターンで一番合理的なラインのことを「有効フロンティア」と言いますが、リスクとリターンにインパクトを加えると最も合理的な点がどこにあるのかというのがわからない。おまけにインパクトにいろんな種類があるということは、3次元ではなく多次元になってしまう。

さらに、これは時間とともに変わるんですね。はじめは財務的な要素はないのですが、時間とともに内部化されてくると利益とつながってくるという構造があります。ということは、リスクとリターンとインパクトに、さらに時間軸を加えないと正しい判断ができない。時間軸を加えると4次元になるため、図に描けませんが、そういう複雑な投資判断が必要になってくる。理論化できていません。

理論化というのは、図に表して、式に起こして、ということを指すのですが、そうはできていないのでよくわからない。しかしおそらくこういうことなのだろうな、というふうに思います。

■インパクト重視の ESG 投資

なかなか理論化できていませんが、基本的にはソーシャルインパクトを追求するという方向で ESG 投資はこれから行われるでしょう。ソーシャルインパクトの測定は少しずつ行われていまして、例えば「カーボンフットプリント」という概念が出てきた。カーボンフットプリントというと普通は製品が原材料から作られて廃棄されるまでに二酸化炭素がどれくらい出てきたのかということを LCA で計算したものを意味しますが、そうではなくてここでは投資家が、投資のポートフォリオを組んで投資をすることで間接的にかかわるカーボンはどれくらいかということ。

例えば、ある年金が 2,000 社くらいの株式を持っていたとする。その 2,000 社がそれぞれの事業活動で二酸化炭素を出している。その二酸化炭素のうち、自分が投資した分だけ、例えば 1 万株のうち 100 株持っているとすると 1％は自分のせいだということ。つまりポートフォリオに投資をしたことによって、投資家が責任を持っているカーボンの量を合計して計算しようというのがポートフォリオのカーボンフットプリントという考え方で、それはもう計測しようということになっています。

しかしこれはまだカーボンだけで、それ以外のインパクトはほとんど計測できていない。だから直感的な判断しか行われていない。グリーンボンドはその代替的な役割をしようとしているということなのではないでしょうか。

■グリーンボンドとは？

グリーンボンドとは、調達資金の使途を特定して発行する債券のことです。2014 年のグリーンボンド原則[7] を機に世界に広がりました。一言にグリーンボンドと言っても、普通の社債や国債に「これはグリーンボンドです」とラベルを貼るというものから、世の中にあるさまざまなグリーンプロジェクトを 1 つにまとめ、証券化し、商品として売るものまで、幅広くさまざまなタイプのグリーンボンドが存在する。しかし世の中ではグリーンラベルドボンド、つまり通常の社債でも発行できるが、この社債で調達したお金はグリーンプロジェクトに使うか

ら、グリーンボンドのラベルを貼って出そうというのが一般的なようです。

　グリーンボンドは出す側からすると、そもそも普通の社債で発行できるのに、わざわざラベルを貼る必要はあるのか、ラベルを貼ったら実質的にグリーンプロジェクトが増えたと言えるのかが問題です。おそらくグリーンボンドが出始めであることからこのようなことが起こっているが、徐々にグリーンボンドには実質的なインパクトが求められるようになるはずです。

　一方、投資側に立っても見ても、グリーンボンドは債券なので、値上がりすることはない。そうするとグリーンボンドに投資をしたらリスク・リターンでよくなった、と株式と同じようにはならない。そうしたらなぜグリーンボンドをわざわざ買うのかという問題がある。ラベルを貼るためには余計なコストがかかる。そのコストの分だけ、どこかで投資家が余計なコストを負担する。特に第3者意見的なものをつけると、「また監査法人が儲けるのか」という話になるのですが、そのコストは一体どう正当化されるのかという問題がある。これを突き詰めていくと、結局は投資家が出したお金にはインパクト、つまりソーシャルインパクトがあるということでしか正当化されないのでは。もちろんそこまで議論はされていないが、グリーンボンドというのは、投資家がインパクトを買うことだと考えなければ金をかけてラベルを貼る意味はないでしょう。

■グリーンボンド発行モデル事業

　環境省はすでにグリーンボンドの発行モデル事業を行っています。モデル性があるグリーンボンドのモデル事例を4件ぐらい選定しています。日本郵船とか三菱地所とかのグリーンボンドはまさにラベルドボンドです。普通に社債発行できるし、お金はあるが、よいことをやっているのでグリーンボンドという名前をつけている。ただ、北陸グリーンボンドはちょっと違いまして、皆さんの参考になるかと思います。

　北陸グリーンボンドはエスコ（ESCO）事業なんですよね。エスコ事業とは建物などの省エネを包括的に請け負って、効果（コスト削減など）の一部を報酬として受け取る事業で、施工から運営まで一括して受け持って、光熱費を下げる。光熱費を下げたことによる利益を注文側と施工者側で山分けしよう、という仕組みです。

　初期投資が先に掛かりますが、初期投資をランニングコスト削減で回収しようという考え。初期投資が掛かるから、基本的に初期投資を負担できる大企業でな

いとできない。通常のスキームだと地元の企業では資金調達できなかったが、北陸グリーンボンドはグリーンボンドを発行することによって資金調達をして、その資金でエスコ事業を行い、エスコ事業を行った収益でグリーンボンドを償還していく仕組みを作った。この仕組みを作ることによって中小企業でもエスコ事業に参加できるようにした。地元の中小企業を束ねてこのようなコンソーシアムを作る。その後グリーンボンドを発行し、資金を調達し、その資金でエスコ事業をやって、資金を回収して、投資家に返還していく。こうすることによって、地元でLED化が進んで環境がよくなると同時に、地元の企業にお金が落ち、地域の活性化につながる。地域の企業を応援できるという理由で選ばれている。地域の小さな企業でも環境事業に進出できるという点では、グリーンボンドは1つのよいアイディアだと思います。

■社会的インパクト投資

最後に、社会的インパクト投資について話して終わりにしたいと思います。

社会的インパクト投資というのは、広い意味では社会的なリターンと財務的なリターンを両方追求する投資なのですが、狭い意味でいうと、自治体や政府が成果報酬型の契約を結んで資金調達する仕組みのことを指します。

広い意味での社会的インパクト投資の例ですが、PHASE[8] というイギリスのNPOがあり、それがホームレスの就労支援をしている。ホームレスに建築の技術を教え、実地研修をする。ここでは空き家の改修工事をしている。空き家の持ち主と交渉し、改修するからタダで貸してくれ、という交渉をする。実際にボロボロの空き家を綺麗に改修し、貧困層に安い価格で貸し付ける。家のない貧困層は安いお金で家が借りられ、ホームレスは仕事がもらえ、所有者は5年間タダで貸すが、それ以降はお金をとれますよ、という契約。なぜそもそも空き家になっているかというと、空き家を修復する金が所有者にないから放ってある。黙っていてもPHASEに頼めば、空き家を改修してくれて、借り手を見つけてくれて、しかも5年目以降はお金が入ってくる。だから5年間貸しておくよ、というやり方です。

これをやるにももちろん初期投資が掛かるのですが、ビジネスだけで資金が回るので、初期投資さえ調達できれば、それ以降はビジネスだけでお金を返せる。これは典型的なソーシャルベンチャー。このソーシャルベンチャーに資金を提供するのが広い意味での社会的インパクト投資です。

　しかし狭い意味でいうと、ビジネス自体ではお金が回らないケースがあります。本当は社会的な価値があるが、利益が上がらないものがある。これが典型的なのが再犯防止事業[9]。英国ピーターバラ刑務所というところで、そこを出てきた受刑者が何回も再犯してしまう。再犯してまた刑務所に入れると、社会的コストは大きい。そこで受刑者が再犯しないようにプロジェクトをやって、再犯率が下がれば、税金が無駄にならなくなる。そこで政府が再犯防止事業をNPOに委託し、NPOが再犯防止のためのトレーニングをして、本当に再犯率が下がった時には政府がコストを支払う。受刑者の面倒を税金で見るよりは再犯防止システムにお金を掛けたほうが節約になるからです。

　NPOは最初資金がないから投資家から調達し、再犯防止プロジェクトを行い、成果があれば政府からお金がもらえる。そのお金で資金を返す。これが狭い意味での社会的インパクト投資です。この社会的インパクト投資のポイントは、政府あるいは自治体が、社会的インパクトの「買い手」になるということ。社会的インパクトを政府が購入しますよ、だから投資家はお金を出しますよ、という仕組みです。

■インパクトとESG投資の関係

　こうして見ると、インパクトと投資の関係は3種類に分かれます。

　1つは、社会的インパクトがすでに市場に内部化されているケース。アクティブインベスターがインテグレーション投資をしてもESG投資が成り立つケース。あるいはPHASEのケースのように事業自体が社会的インパクトと事業性を両立しているケース。こういう場合は普通の投資の判断で社会的インパクトと投資の両立の判断ができる。

　これができない場合、ユニバーサルオーナーが社会的インパクトの買い手になる。ユニバーサルオーナーにとっては、負の外部性を減らすものには投資をするという判断ができるので、買い手になるケースがありうる。

　最後は政府がソーシャルインパクトの買い手になるケース。かりに皆さんの木材利用システム研究会が中心となり、木材を利用することで社会的インパクトを起こそうとすると、その社会的インパクトをどういうふうに投資家に買わせるのか、どういう社会的インパクトの買い手を見つけるのか、がポイントになります。ビジネスの中に内在化し、ビジネスとしても成り立つものとして構想するのか、ユニバーサルオーナーにアピールするのか、それとも自治体などに買い手になっ

てもらうのか。どこでお金を回すががポイントです。

■木材利用システム研究会への期待

　もう1つのポイントが社会的インパクトを測定するということ。どこにどれだけのインパクトがあるのかを示すことが重要。おそらく、ESG の評価指標というよりはインパクトを定義することが大事なのだと思います。皆さんの事業はどういうインパクトを生むのか。そのインパクトはどのくらいの大きさなのか。これは金額で評価する必要はありません。インパクトは測定できればいいので、どれくらいのインパクトがあるのか、ということが測定できればいいのです。

　では皆さんのビジネスモデルは、どんな社会的インパクトを生んでいるのか、それを考えることが必要です。例えば、国産材を利用することにします。そうすれば疲弊した地域の林業が活発化して地域に雇用も生まれる、というストーリーもあるし、国産材を利用すれば輸入材が減る、輸入材が減れば、その分だけ海外の森林破壊の防止になる、というストーリーも考えられます。何かインパクトが生まれる、というストーリーを作ることが必要だと思います。

　もう1つ大切なのは、長期的なビジョンだと思います。1年後、2年後、もあるが、長い目で見て、私たちはどのような社会に住みたいのか、ということ。鉄やコンクリート、プラスチック、これらは今、大きな ESG 課題ですが、これを木材で代替できれば、大きなビジネスチャンスが生まれると思います。今スマートコミュニティというものがありますが、これから私たちが住む世界は人口がどんどん減っていく中で、高層マンションが増えるよりも、周りは森に囲まれていて、木でできた家で暮らす、という生活が美しいかもしれない。これをスマートコミュニティというアイディアと結びつけて、何かしらのビジョンが生まれるかもしれない。そのとき仕事がどこにあるのか、移動をどうするのか、そういうことも踏まえて地方に住まう。そのための森と共存する社会。それを目指してビジネスを構築する。

　こんなビジョンが描ければ、そこにお金を出そうか、という人たちが出てくるのではないか。長期のビジョンをいかに持つのか、ということと、具体的なインパクトをいかに定義できて、いかに測定できるのか、ということが鍵になるのではないかと思います。

　ということで、少し長くなりましたが、これで私の話は以上になります。

注

1 ）GRI：Global Reporting Initiative の略。企業および政府機関が行うサステナビリ
ティ報告に関するガイドラインの策定と普及を行っている非営利団体。

2 ）IIRC：International Integrated Reporting Council の略。統合報告書のフレームワー
クに関するガイドラインの策定と普及を行っている非営利団体。

3 ）FTSE4Good：フィッチ・フォー・グッド。金融情報サービス企業 FTSE が作成し
ている ESG 投資インデックス指数。

4 ）DJSI：Dow Jones Sustainability Index の略。S&P Dow Jones Indices 社と RobecoSAM
社が作成している ESG 投資インデックス指数。

5 ）MSCI：旧 Morgan Stanley Capital International 社の略称。ESG 投資インデック
スを含む各種株価指数の算出などを行う金融情報サービス企業。

6 ）GPIF：年金積立金管理運用独立行政法人の略称。厚生年金および国民年金の積立
金の運用を行う。運用資産額で世界最大規模の機関投資家。

7 ）グリーンボンド発行に関する自主的なガイドライン。2014 年 1 月に策定されて以来、
逐次改訂が行われている。事務局は国際資本市場協会。

8 ）PHASE：People Housing and Social Enterprise Scheme の略称。イギリスで実践
されている社会的インパクト投資の一例。

9 ）参考文献：細野ゆり（2015）「ソーシャル・インパクト・ボンドの成立過程と日本
における再犯防止への適用に関する考察：英国行政改革と刑事政策の民営化を踏ま
えて」早稲田大学社会安全政策研究所紀要（8）, 107-122.

日時：2018年7月19日（木）17時30分〜19時
会場：東京大学中島董一郎記念ホール
講師：松川恵美氏（株式会社グリッド＆ファイナンス・アドバイザーズ代表取締役社長）

■はじめに

　本日は、ESG投資とSDGsの概念を整理し、源流を辿り、今にいたるまでの道筋をお見せしたいと思っています。そしてそれらの影響、今年特に注目されているグリーンボンドについてお話しし、これから求められる対応として、今までは金融機関と企業に向けて話すことが多かったのですが、今日は学問の世界の方とも一緒に考えていただき、最後はディスカッションを通し、問題提起したいと考えています。

　まず、経団連が7年ぶりに出した企業行動憲章[1]ですが、いろいろなことで環境対応に積極的でなかった経団連が、いよいよ行動憲章の中に「ESGへの取り組みを進めます」と明確に入れたというので、金融業界ではかなり大きなトピックスとなりました。すごく地味な企業行動憲章なのですけれども、ここに最後の大きな変化が盛り込まれたということで、最初にこの変化を見ていただこうと思いました。これは今やビジネス界も、ESGという概念を取り入れていこうと、賛同していると、そういうことだと思います。

　ここ4年間の変化を見てみますと、2014年は日本では変化の始まりだったと思います。日本版スチュワードシップコード、企業ではコーポレートガバナンスコードが出ました。スチュワードシップコードは、日本で活動する金融機関が受託者責任に関するコードの受け入れを表明するというものです。それから金融機関のあり方が概念として変わっていく点です。特徴としてはソフト・ローという形をとっていて、レギュレーションになっていないのですね。でもあっという間に受け入れ表明機関が増えまして、今ではほとんどの機関投資家がこのスチュワードシップコードの受け入れを表明しています。

　1つだけ抜けているピースとして、企業年金基金がほとんど受け入れていません。今年に入って新しい動きとして、エーザイとパナソニックの企業年金基金がスチュワードシップコードに賛同いたしました。ここからはちょっと変わってい

くかな、という兆しになってくると思います。

　企業年金基金がどうして賛同してこないのか、というのは後で考えたいと思いますが、その代わりにというわけではありませんが、2015年にはこれとは対照的に、日本の公的年金を運用する独立行政法人であるGPIFがPRI（責任投資原則）に署名しました。PRIとはスチュワードシップコードをよりグローバルにしたもの、上位概念と私たちは考えています。スチュワードシップコードは各国で出されるものですが、それより大事になっているのがこのPRIです。これについてはあとで詳しく述べますが、2015年にGPIFが署名したというキーワードはまず頭に入れておいてほしいと考えています。

　2016年には、このGPIFがPRIに署名したことで、かなり大きく、実践の場が動いてくるようになりました。GPIFのこの動きが、ESGに関する行動と実践が日本でも明らかにしていったと思います。そして段々とESGという言葉を聞く機会も増えてきたと思います。

　2017年はさらに実際のインパクトを目指す活動が活発になってきていました。みなさんもいろんな記事になっていたことを覚えていらっしゃると思いますけれども、スチュワードシップコードも3年経って新しい、より実践に向けた改定が行われました。

　2014年の時はやや控えめで、当時まだ日本にはなじみのないソフト・ローの形を、どうやって浸透させていくかというのを、金融庁さんも英国のスチュワードシップコードをお手本にしていながらも、日本に馴染まないものを除いていたりしていたのですが、3年目の2017年のコード改定では、かなり踏み込んだコード改定をしております。

　その1つが議決権の個別開示ということなのですが、今年の株主総会のシーズンは、相当いろいろな話題が提供されたと思います。ここで議決権のアクティブな責任と言うのは、このESGの流れの中から来ています。そして機関投資家は個別にどういう議決権を投じたかというのを公表するということがスチュワードシップコードに規定されましたので、署名機関は議決権の行使状況を開示する、または理由を開示することが推奨されてきていますので、こういったことで、今年の株主総会シーズンにはいろいろな株主議案や賛成反対のバランスが今までとだいぶ違ってきたような気がします。こういうところにも、スチュワードシップコードやPRIという影響が出てきます。

　さらに今年（2018年）に入ってきてからは「時間との闘い」がクローズアッ

プされてきています。やはり大きいのはパリ協定で「いつまでにこれくらい頑張っておかないと地球が困ってしまう」ということが言われました。なので、より大きな効果を出すということを目標にしてきています。そのために、リアルワールドインパクトと投資家は呼び始めていますけれども、これがより重要になってきています。

　このあたりを特に学術的に研究していただきたいというのが、私の最後のメッセージの1つになるのですけども、今、目標とされているインパクトは、このところにその源流があります。投資の指標は今まで、通常リスク＆リターンという2つの軸で評価されてきました。企業がどういうリスクとリターンを上げていくのか。これに対して投資する・しない、または、売却する・しない、ということで株式市場が動いていく。そういうものだったのですけど、ここに3つ目の軸、インパクトというものが入ってきています。そして、これを受ける形で企業側もさまざまなイニシアチブを作っています。

■ ESG 投資が目指す方向

　ESG 投資とは、一言で言うと国際社会からの要請なのです。これは皆さんもそうだなと、すぐ納得していただけると思うのですが、ここの概念がきちんと整理できない限り、正しい対応もできないし、正しいインパクトも生めないと思いますので、なんとなく腑に落ちないなあと考えていらっしゃる点を、これから整理していきたいと思います。

　ESG の概念を整理する時に必要なものは、やっぱり国際的な議論がずっと続いてきている、今急に出てきたものではない、ということです。国連が発足したあたりから、国家間の議論というのが国連の場で設けられて、国家間で解決する場ができたわけですけれども、その ESG につながる源流としては、直接的にはこの 1972 年のストックホルム宣言です。環境についての懸念、それから人権についての問題も入ってきますけれど、解決に向けてしていかなければならない、というのができたのがこの年です。

　ここから次に 20 年後、地球サミット、このリオ宣言、アジェンダですね。ここですでにインパクトということについて、国際的にもみんなのコンセンサスが出てきたところです。ここで森林原則というのが同時に声明として出されているので、1992 年という年はよく知っていらっしゃる方もいると思います。で、このようなところから、持続可能な開発をしっかりと進めていかなければならない

という課題意識が共通認識として生まれてきています。

　ここから実際にきちんとした動きになるまで相当の時間がかかるんですけれども、2000年あたり、この地球サミット以降は国家間・国連の場だけでは解決できないものとして、または影響力が大きいものとして、民間側のイニシアチブが生まれてきます。これがUNEP/Fi [2)]、1992年に生まれているんですけれども、ここから企業側のグローバルコンパクトという行動原則の中にサステナビリティに関する行動の指針などができてきてますし、それから遅れること2006年、責任投資原則、投資家として、責任をもって地球のサステナビリティに関与していくという流れが出てきています。そして最終的には、2015年のSGDs、ここで、すべてのステークホルダーが、目標に向かって取り組んでいくという流れが出てきました。その中でそれぞれのステークホルダーがやるべきこと、というのが、PRIやグローバルコンパクトという形でできています。このような、みんなで力を合わせてSDGsの目標を達成しよう、という流れの中の、とても重要な言葉がESG投資となります。

■解決されるべき世界の課題

　今、ビジネス界の大きな流れは、特に3つの点により捉えられています。

　ESGとSDGsとグローバルコンパクトがなんとなく似たようなことを言っているな、ということは感覚的にわかると思うのですけれども、これを整理してみますと、すべてのことが、このESG課題から出てきている、というふうに見ることができる。投資家は金融側のシステムの役割としてこの課題に取り組みますし、企業は主体としてこのビジネスの中でこのESG課題の解決に取り組んでいくことになります。

　この中で、企業側が行動の指針にするのが、国連グローバルコンパクトであり、投資家が見るのがPRIなのです。ですから、すべてはESG課題を見ているということになります。SDGsも同じようにESG課題から、17のゴール、169の項目に分け、枠組みとしてわかりやすくなっているし、それぞれに数値目標や、目標の年数なども書かれていますので、かなり使いやすい数字としてでてきていますが、結局は同じESG課題について求めているわけです。

　1つ1つはわかりやすいですが、よく誤解を招く点が1つあります。それはこの、グローバルコンパクトやPRIが言っているESGとSDGsを切り離すアプローチです。前者が責任で、後者が解決方法なのだ、というふうに分けて考えて、企

業側の事業計画やビジョン中に、よいことをして解決をする、よいソリューションを提供すればここに貢献するというふうに言っている企業さんが見受けられるということです。なぜそれが間違っているのかというと、今まで企業活動が生んできた課題が、ESG課題を生んでいるからです。つまりネガティブなインパクトを今まで生み出してきたのがこれまでの企業活動のどこかにある。自分の会社の中にはもしかしたら見当たらないかもしれないけれど、それをどこかにしわ寄せしていたのではないか。そういった負の外部性、今まで資本主義がずっと放置してきてしまったこと、それが積み重なって今日のESG課題になってしまったのではないかということ。これからは、負のインパクトにも責任を持とう、そういう活動がESGの主なテーマです。

　その枠組みに対して、ポジティブなソリューションを出せばいい、というふうに捉えてしまいますと、ネガティブなインパクトは解決されないまま、また同じしわ寄せが起こるかもしれない。ということで、これは必ず両方のサイドで企業に対応してもらわなければならないことです。

　特に機関投資家は、ユニバーサルオーナーといって経済全体から影響を受けることがとても強いことから、この負の外部性にこだわっています。どこかにしわ寄せをしていたら、結局ネガティブな課題が生んだコストが自分のところに返ってきてしまう、という考え方です。

　本当なら国家に対して解決が求められるような問題ではあるのですが、それがもう、ずっと経済の発展の中で積み重なった課題になってきているのですね。今までの資本主義でやってきたことは、必ず社会に求められてきたから、そのサービスやビジネスが生まれてきているのですけれども、その中で負の外部性は資本主義では考慮しなくていいと言っていたに等しいのです。

　例えばどれだけCO_2を排出してきたか、これまで投資家は見ていませんでした。企業価値を測るときに今まで見ていなかったのですね。プロフィットはどれほどか、ということだけを評価していたので、どれだけ悪い影響を与えてきたかは見る能力もないし、そこは経済とは関係ないというふうにみられてきた。または、労働コストを下げることで利益率を上げるのはビジネスの通常の方法であると、20世紀の資本主義は言ってきました。

　ところが、そのことが何を生んできたかというと、ESG課題のEとSの課題をたくさん生んでしまった。それが経済不均衡につながる、教育の機会を奪うような児童労働や、奴隷労働、強制労働、こういったことを生む。このことが、実

際には世界の GDP の増大を妨げる要因になっている、という研究結果も出ています。こういうことを 1 つ 1 つ積み重ねて整理したものが、ESG 課題の研究であると思います。この概念を理解していただくことではじめて、正しく貢献できるアクティビティに繋がる、ということになります。

■責任投資原則（PRI）とは

今度は PRI ですが、前文が一番重要です。「長期的視点に立ち最大限の利益を最大限追求する責任がある、受益者のために」（受託者責任）という根本があります。この根本を守ることは機関投資家にとって当たり前ですが、この当たり前の活動の中に ESG を入れる。そのことが影響を及ぼす。この段階では可能であることと考える。受託者責務は機関投資家の義務として ESG を考慮していくことが当たり前になってくると PRI の原則では述べています。

実際には PRI が 2006 年に発足してから相当な議論があり、法律上の解釈として受託者責任のあり方について議論されてきました。本当に ESG を考慮していくと、実際のパフォーマンス、預かったお金をきちんと最適に運用していないじゃないか、という法律の解釈にかかわるような議論がされまして、最終的には 2014 年に、受託者責任について現在の形で決着しました。これは「21 世紀における受託者責任」という PRI からのレポートも出ていますので、研究の題材に見てもいいと思います。日本語に訳されています。ここでは ESG を考慮しないことは失敗である、という解釈に落ち着いた。以前は悪いことではないという判断でしたが。すべての PRI 署名機関は ESG を考慮して行動するということが義務であるという解釈になりました。

長期的視点というのがもう 1 つのキーワードで、短期資金とか、ショートターミズムと呼ばれていることとは、全く違う視点を持っていることが 1 つの特徴として捉えられます。なので、自分の知っている投資家の中で、このような ESG 投資をしているという投資家はいないという人は、長期投資家の姿勢を見ていただければ大分印象が変わると思います。ですので、デイトレーダーですとかセルサイドのアナリストなどではこのような見解が出ない場合も多いと思います。

先程の長期投資家は、やはり年金基金ですとか、生命保険ですとか、機関投資家が主なプレイヤーになります。PRI の原則が ESG 投資の、機関投資家側の原点になっているということです。この 6 つの原則を見ていただきますと、ESG 課題に対して意思決定のプロセスに踏み込むですとか、活動を活発にする、アク

ティブオーナーシップという言葉がありますが、そういうことで、議決権をしっかりと行使する、丸投げをしないということに繋がり、現状に至っています。

　それから、開示を求めるのも重要な点です。やはり ESG はフェアなディスクロージャーを基本にしていますので、「やっています」ということを、きちんと世界の投資家に向けて開示していくということが重要になります。今までの決算報告書、ファイナンシャルレポートなどでは含んでこなかった項目について開示を求めますから、それは今、いろんな企業さんの対応も相当大変になってきていますが、この原則の中にも入っていますので、開示要求というのが推進されているのがこの原則の原点になります。

　働きかけと協同、というのはあまり日本では馴染みがなかったのですけれども、2 つを合わせますと協働エンゲージメントということになります。投資家のイニシアチブとして、1 社対 1 社ではなくて、賛同する投資家が集まってこういうことをしていきましょう、ということを企業に対して働きかけます。この影響の大きさが 1 対 1 のときよりもずっと大きいということで、この手法をとっていく。これが PRI の 1 つの行動の原点にもなっています。

　そしてそれを報告していくということなのですけれども、これは開示に含まれるのですが、活動の結果を報告していくということですから、実際には「こういうことをやります」と謳っただけではこの報告に十分には値しない。企業の活動のなかで PDCA サイクルとメカニズムについて報告する必要がある。これが何を意味するかというと、いいことだけ謳うのではなく、実際の行動を評価することで、形骸化を防ぐこと、実際のインパクトを重視することで、この 3 つ目の原則が出ています。

　これは、企業の方々の行動に対して、というのにプラスして、署名している金融機関も投資行動の結果について報告するという義務が今はあります。PRI の署名機関は、毎年レポーティングを PRI に提出することになっていて、署名していながら何もしない投資家は徐々に排除される仕組みになっています。

　10 年を経た PRI が新しく決めたこととしては、レポーティングであまり活動が芳しくない、つまり、レーティングされるのですけれども、評価の低かった機関投資家は PRI 側から除名という措置がとられることになりました。今年のレポーティングが今出てきているところなのですけれど、署名したはいいものの、除名されるというのは大変不名誉ですし、それは営業的にも影響があると、機関投資家は必死になって作っています。けれど、嘘は書けないですから、実際に行

動しなければいけない。その活動を細かくして、レポーティングすることで、活動を推進しようとする仕組みの1つになっています。

■ PRI Blueprint 今後 10 年の焦点

PRI は、PRI の6原則ではなかなか具体的な行動をとれない。そしてまた、今新しい時代になってきた中でこういう行動をしていこうという戦略を「責任投資のビジョン―Blueprint―」としてまとめました。これがこれから ESG 投資として推進されている戦略の中心になっていると捉えていただければ結構です。今から Blueprint に関する動画[3]を見ていただきたいと思います。

■ ESG 投資のダイナミズム

PRI の署名機関はいくつかの役割に分かれているのですけれども、先ほどから言っている機関投資家の中でも、年金基金などはアセットオーナーという立場ですから、一番大本のプレイヤーになります。この資産を持っているアセットオーナーは、運用を託す機関、なんとかアセットマネジメントとか、そういう機関に運用の指図をしていきます。そして、機関投資家は株主行動として企業側に対して株を売ったり買ったりして、議決権を行使したりといったようなことで、直接的な株主行動をとったりします。

ここで、企業に対して機関投資家が投資判断をする、という流れの中でそれぞれのプレイヤーが ESG の要素を考慮する、それぞれのファンクションで果たしていくインベストメントチェーン全体として ESG に対して効果を上げていく。それぞれのカテゴリー、セクターによって、やるべきことはそれぞれ違うのですけれども、目指すところは同じで、この ESG や SDGs という概念を実践していって、効果を上げていくことと一致させるために、先程のような Blueprint ができています。Blueprint の中には、それぞれのインベストメントチェーンの中での役割もきちんと書かれています。これもぜひ読んでいただきたい。日本語訳[4]もあります。

■リスク、リターン、インパクト

もう1つ、機関投資家の行動として知っておいてほしいことがあります。アセットオーナー・ストラテジー・ガイドというものが現在出されているのですけれども、この中で、通常のリスクとリターンで企業を評価するという2次元の評価か

ら、3つ目の軸としてインパクトを加えたことで、リスクとリターンだけではなく、ESG に対する貢献度を効果として評価することもアセットオーナーの戦略として重要であると述べられています。

この軸が整理されたことで、ESG 投資が何を目指していくのか、SRI といった社会貢献を目指せばいいのかということとは一線を画すまとめだと、私たちは考えています。ですので、投資家としては、受託者として、リスクリターンだけでなく、インパクトを評価し、インパクトに期待して投資することになります。ただし難しいのはインパクトをどう測定するのか、という点です。これは今も議論の最中で、アカデミックの皆さんには是非貢献していただきたいな、という領域です。

どういうふうにインパクトを測ったらいいのか。CO_2 ですと排出量の原単位の削減ということがわかりやすく共通の指標になってきていますけれど、他にも、さまざまな効果があります。効果とともにもしかしたらネガティブなインパクトもあるかもしれない。こういったことがしっかりと解明されていくことが、リスク、リターン、インパクトという新しい投資基準の中で一番欠けているところで、しかも望まれているところです。

こういった活動は、これからの10年のなかで1歩2歩を踏み出したところですから、まだこれから先の10年間にやらなければならないこと、達成しなければならないことはたくさんあります。機関投資家は、自分たちのストラテジーをしっかりと立て直しているところです。

■ビジネスへの影響

企業活動への影響としては、自分たちがどのイシューにどのように関与しているかということを見極めていかねばなりません。ここで大事なのは Thematic Analysis（課題の理解）だと思います。例えば人権に関しては、ハーバードのラギー教授の研究グループが、人権に対する行動指針をまとめるというスタディを行っております。今後、インパクトの数値化といったことが明らかになってくると、企業の行動にもより影響を与えるものになっていきますが、現時点では、こちらではこういう解釈ができて、別の観点からはまた別の解釈ができるというようなことがたくさんあります。

木材利用システム学寄付研究部門の掲げる研究課題の中で面白いな、と思ったタイトルがありました。割り箸と樹脂製の箸の環境に対する影響度に関するもの

です。一時期、割り箸をやめようみたいな動きが出てきていました。マイ箸を持ちなさい、なんて言っていたのですけど、日本の中の状況でいうと、皆さんのご専門分野だと思いますが、間伐材を使った方がいいというようなこともお伺いしました。こういったことをしっかりと研究者からきちんとしたシナリオが出されることが、この課題を正しく解決していく第一歩です。

投資家が重要視するようになったテーマとして、例えばコーヒーやカカオ、パーム油があります。これらのテーマの背後には、環境だけではなくて人権問題も含まれていることがミソです。パーム油については、安くできて生育も早いということで今パーム油に頼っている商品はたくさんあるのですが、そのために起こっているのが熱帯雨林の減少であり、重大な課題として取り上げられています。

パーム油は課題のデパートなのですが、例えばインドネシア政府には収賄や腐敗の問題があります。これは ESG の G にあたります。また、パーム畑で児童労働・強制労働が行われているという NGO からの摘発がたくさんあります。3 年くらい前のレインフォレストアライアンスセミナーに参加しましたが、すごく面白かったのはレインフォレストアライアンスの金融セクター向けのセミナーに、たくさんの機関投資家が話を聞きに来ている状況でした。パーム油の後ろに隠れているのはかなり大きな ESG 課題ですから、機関投資家も NGO の話をしっかり聞いて、企業とのエンゲージメントで解決していこうとする姿勢が強くなってきている表れだと思います。

このパーム油の中にはいろいろ課題もありますけれども、今パーム油を使ってはいけないといったら、本当に何も日々の生活ができなくなるくらい使われています。これを持続的な範囲の中でしっかり使っていくことがサステナビリティにつながっていきますけれど、そのためにはどうしたらいいか、ということでいうと、いろんな課題が出てきますので、ここをしっかりと理解したうえで企業の進むべき道を見つけていただきたいと思います。

コーヒーやカカオに関しては、人権と労働環境の問題が重要視されています。例えばスターバックスはコンサベーション・インターナショナルという NGO と組んでサステナブルなコーヒー農場の運営ということにしっかりとお金をかけて、スターバックスで買うコーヒーに、コンサベーションのマークを付けた形で結果を開示しています。こういったことを続けていって、スターバックスのコーヒーの裏には児童労働がないということがわかる、というようなことをされている。でもやっぱりスターバックス高いですよね。そう言ったときに、今まででしたら

100円で買えるコーヒーの裏に児童労働が行われていても、そのコーヒーを作ったメーカーには特に責任が問われなかったわけですが、これからはESG課題から見ると、投資家たちはどこかへのしわ寄せを許さない、このコストはしっかりとブランド・メーカーが払ってください、というようなことをやっているわけです。

さらにミレニアル世代の方、今日の学生さんたちなどはおそらく、エシカルな消費などには純粋に共感されるというような研究結果が出ていて、私たち世代のおじさんおばさんたちは経済発展の中で利益をどれだけのものにするかというのを追求してきた世代は、なかなか論理的に考えればわかるけれど、そうはいってもなあという人が多いのじゃないかな、と思いますが、ミレニアルの方々は、これから地球が長く存続するために、または若い人たちの孫の世代のために行動できる、まだピュアな世代の方々は、やはりスターバックスのコーヒーに対しておそらく反応していくのだと思います。これらの課題をしっかりと研究していくということもこれから求められます。

■機関投資家によるイニシアチブ

(1) CDP

1つヒントになるのがCDP、これはかつての名称「Carbon Disclosure Project」の頭文字をとったものですが、ここ数年、かなりプログラムが変わってきています。

今求められているパリ協定への対応においても重要なポイントとなるのですけれども、企業に対してCO_2や他の温室効果ガスの排出量をかなり細かい定義に基づいて開示してくださいというイニシアチブです。イニシアチブを主導しているのは機関投資家で、特にESGに関する調査の中ではこの数値は欠かせないものになってきています。日本の環境省も同じように環境報告ガイドラインなどでCO_2の排出などについては日本の企業に対してのガイドラインを提供して、かなりこの開示は浸透してきていると思います。

最初はCO_2だったのが、最近は水資源リスク、森林プログラムと拡大してきています。このCO_2開示をしてくださいという機関投資家からの要求が、水や森林に及んでいるということが、ここ15年のCDPの歴史の中で生まれてきたことです。今、森林プログラムが徐々に拡大してきています。

調査の方法は、企業に対して、企業活動の中でCO_2や水資源リスクに関する

管理や森林管理ができているか、という質問票を送付し、それに答えていくもの
ですが、自社だけでなくてサプライチェーンの取引先に対しても回答を求める
ケースも出てきています。つまり、最終ブランドメーカーが、自社の調達取引先
に対しても同じようにCO₂や水や森林のリスクを認識しそれを開示してくださ
い、それら上流下流すべてのサプライヤーが自分たちの最終ブランドにかかわっ
てくるという意識から、サプライチェーンへの拡大が生まれてきています。

　森林コモディティに関しては、CDPから質問票が公開されていますので、ぜ
ひ見ていただきたいのですが、最も大きな課題はデフォレストレーションです。
具体的に取り上げられているコモディティは、最初は木材だったのですけれども、
大豆、パームオイル、牛・乳製品、今年からゴムも新しく加わりました。これは、
熱帯雨林の減少がこれらコモディティの生産拡大に影響されることから、最も大
きな課題であるという捉え方です。牛が出てきたのにはすごくびっくりしたので
すけれども、やはり、人口の増加に伴って、または経済発展によって、牛肉、乳
製品の消費が爆発的に増えている。このような中で、牧場を作るために熱帯雨林
が伐採されてしまって、これが回復しないとすると、サステナブルな森林はいつ
復活するのか、と考えますと、とても重要な課題です。しかし、牛肉を食べては
いけないのか、そういうことではなく、これはサステナブルに管理できているの
かということが問われます。

　これはちょっとした参考ですが、CDPは回答した結果を採点してレーティン
グが付きます。AからFです。その中でAリストカンパニーというのは今かな
り企業さんが名誉なこととして狙っていくレベルなのですけれども、このAリ
ストカンパニーはかなり大きく表彰されます。毎年、結果報告会というのが主要
都市で開かれますが、これはボジョレー・ヌーボーみたいに解禁日が決まってい
て、一斉に発表されます。

　日本の発表会ではAリストカンパニー入りした企業の役員さんが来て1分コ
メントするのですけれども、1分のためにその会社の社長さんが時間を割いてス
ピーチをするかっていうと、数年前まではCDPのAリスト入りといっても「な
んだそれは？」とあまり参加企業はいなかったのですが、去年は22社、リスト
入りした企業の中でも、10社くらいの、アサヒホールディングスさんですとか、
ホンダ、トヨタ、こういった大手企業の社長・副社長レベルが、この結果発表会
にやってきて、Aリスト入りの名誉を表彰されました。それに対して「本当に
名誉なことです。私たちはこれを経営の根幹としてやっていきます」というよう

なコメントをしていくのですね。

　CO_2 に関しては最もインパクトが大きいですけれども、今は、この森林についても A リスト入りを目指す企業も日本の中にちらほらとでてきています。ただまだ、気候変動問題に比べますと、まだまだ規模も小さいですし、日本の企業の中で残念ながら A リスト入りしている企業はありません。世界で一番、この森林プログラムの高い評価を受けているのはユニリーバで、4つのコモディティ全部において A 評価を得ています。これは相当な戦略とコストをかけて、この対応をしてきた企業です。

（2）Climate Action 100+

　CDP の開示結果や A リストに入ったことが名誉なのか。相当なコストが掛かることから、やらなくていいのではないかと考える企業が多いのですけれども、実際にはさまざまなイニシアチブによって CDP の数値やレーティングが使われ、活動がかかわってくるようになっています。

　例えば、Climate Action 100+ というものは、去年から今年にかけて発表されたのですけれども、ここで使われているデータは CDP からの開示データです。ですからこのワンハンドレッドは、世界の中でも排出量の大きな 100 社が選ばれて使われています。こういった動きが、投資家たちがエンゲージメントをしていって、一緒に方向性を考えていきましょうというようなイニシアチブです。日本企業も 10 社選ばれています。大手の企業で、自動車各社、電気機器メーカーなどが含まれています。日本の投資家もこの中に含まれていますので、こういったことで名前が出る、そして結果なども開示されていくということがありますから、実際にブランディング、取引にも影響してくるといえます。

（3）RE100

　また同じようなイニシアチブで、企業側が投資家たちに呼応するような形でイニシアチブを作っていっている例の 1 つが、RE100、リニューアブルエナジー100％で事業に使うエネルギーを賄うというイニシアチブです。日本でこんなことができるのだろうかと思いましたけれども、参加している日本企業は、当初 2 社だったのが、イオンと大和ハウス、アスクルなどが入ってきて、今では環境省も表明しています。

　これはビジネスに影響してきて、アップルはほぼ 100％リニューアブルエナ

ジーを達成していると言っているのですけれども、アップルの製品に入っている部品メーカーの電力使用、それもアップルのワンハンドレッドに貢献していくわけです。日本企業の中で電力を100％リニューアブルエナジーで賄っているところはなかなかない。その部品の分のマイナスがアップルの達成率にかかわってきますので、これは日本企業としてはRE100の中で、サプライチェーンの中で、一緒に活動しているのも同じことです。具体的にはアップルからの調達基準の中にRE100に協力してくださいと入ってきます。これは取引の条件になっていく可能性もあるわけです。例えば、アップルの製品の中に貢献している企業としてイビデンという日本企業がありますが、いち早く対応を決めて、自社の駐車場の敷地に太陽光発電施設を作っているということで、すぐには対応できないがその姿勢を示したということで、アップルから高く評価されています。こういうサプライチェーン上の協力というのが、全体としてCO$_2$排出量を下げる、どこかにしわ寄せをしてはいけないという原理からも、サプライチェーンの責任が増してきていることがわかります。

（4）Science Based Target

　もう1つは、CDPの中でも今最も高い目標として掲げられているScience Based Target（SBT）。重要な要素としては、2℃目標の達成に対して逆算していって、達成するためには今何をしていったらいいか、というシナリオ分析をする必要があるのですが、そのときにSBTが推奨されています。SBTに関する項目はCDPの質問票にありますので、きちんとシナリオができている企業は採点の中で高くなっていく。実際にはAリストに入るにはSBTがきちんと開示されていることが条件になります。

　現在のところCO$_2$の話、気候変動の話が大きいですけれども、水資源リスクや森林プログラムにも同じようなシナリオが求められてくるとすれば、木質科学に対する研究成果というのはとても重要になります。このあたりはぜひ、研究者の皆さまに注目していただきたい分野だと思います。

（5）Corporate Human Rights Benchmark

　もう1つ、人権に対するイニシアチブなのですけれども、環境の問題の裏に人権が複合的にかかわってきます。こちらも環境と同じように、投資家は企業に開示を求めています。なので、自分の会社の中で児童労働はあるわけないと、特に

何も開示していない企業は多いのですけれども、実際には意外にも取引先だとか、南米やアジアの子会社できちんと労務管理が把握できている企業は少ないですが、これについて開示してくださいというイニシアチブが Corporate Human Rights Benchmark（CHRB）です。

　これは今パイロットプロジェクトの状態なので、日本企業は 100 社の中の 2 社、イオンとユニクロです。アパレルと農産物・食品を扱う小売業は、人権リスクの高いセクターとして選ばれていますが、今後は ICT などにも広がっていく可能性がありますので、企業は今後人権の開示について求められてくる。ベンチマークと銘打っていますので、やはり点数がついてくる。こういった切実なプレッシャーに企業は晒されていくわけです。

　ESG 投資家は、こういうことにきちんと対応する企業に対して資金を提供していきます。このコストは、今後の将来への投資だと考えることができると言っています。とはいえ、インデックスや株価はあとからついてくるということを考えますと、直接的に投資として効果が表れてくるというのは、大変難しいものですので、これについてはいろいろな取り組みが出てきています。

■グリーンボンド

　最初にインパクトを求める投資が拡大していくと申しましたが、今年よく聞くのがグリーンボンドを発行する企業が出てきたということです。グリーンボンドとは、使途を環境に利益のあるプロジェクトに使うことに限定する債券を投資家が買ってくれるということで、環境に対してよいインパクトを及ぼす事業に資金が回ってくる。これは何でもグリーンボンドと言ってしまえばいいというわけではなくて、グリーンボンド原則というものがあり、4 つの指標を満たしたものがグリーンボンドと考える投資家が増えています。

　この中で重要なのは、使途がグリーン、環境によいということとともに、なぜそのプロジェクトを選んだのか、また調達した資金の使途を管理しているか、ということをもちろん見られるのですけれども、グローバルな観点からいうと外から監視や評価してもらうということも推奨されていています。1 つには、これは Vigeoeiris という海外プロバイダーから提供されているグリーンボンドを評価するためのメソドロジーなのですけれども、使途を見るとともに、その発行体企業そのものの ESG 評価もレビューの中に入れるというのが Vigeoeiris の特徴です。つまり、グリーンプロジェクトをやります、と認められたとしても、その企業自

体がどこかで人権問題に加担しているとすれば、また企業として人権問題を放置していれば、きちんとした方向ではないということになります。悪い人間がよいことをする振りをしていいのか、というといけないですよね。こういったことを、きちんと金融のシステムの中で見極めていこうというのが、このグリーンボンドです。

　発行例を挙げますと、日本郵船は、重油からLNGにエネルギーを変えていくということに対する研究費の使途、船の建造費を募るために債券を発行しました。化石燃料を使うということに対しては議論があったのですけれども、2050年にはゼロエミッションにするという方向の途中であるという戦略が評価されたこともあって、すぐ完売した、ということです。

　この他に、社会的なインパクトを求めるソーシャルボンドというのもありますし、ハイブリッド、サステナビリティボンドと呼ぶこともありますが、グリーンと社会を両立させるようなボンドの発行の例もあります。ということで、直接資金を得てESG対応を推進するということができる世の中になってきています。

■今後の課題

　まずは、世界から求められる企業になるには、時間のタームを長くとらなければなりません。これは経営者にはかなり難しいことで、自分の任期が3年、5年と限られている中で、50年後の会社の姿を描いてくださいと言われます。企業のサステナビリティということを現在の経営の中心に置くことができるか。これは実際には企業の価値をしっかりと上げていくことになりますので、「50年後のことは知らない」ではなく、経営課題として捉えていただく。CSRの活動が活発になるとESGがよくなるということではありません。

　この中でポイントとなるのは、ESGに関する重要な課題を認識することが企業としてこれからやっていくべき成長分野を見つけることに等しいということです。例えば、最近急浮上しているプラスチック問題で言うと、みんなプラスチックストローやめますと言ってきましたけれども、本当にそれだけでいいのか、何か別にできることはないのか、いっぱいあると思うのですね。でも、その中では衛生面でも耐久面でもコスト面でも機能面でもプラスチックのストローを代替するもっといいもの、ここに企業の努力とイノベーションの必要と、研究も重要だと思うのですけれども、こういうことで、社会から求められるものを提供していけるようになるのではないか。こういうことを企業としていつも見ていける力が

あれば、いつの世の中でも、最も求められる会社になりうる。こういうことを経営層が理解してくれたらいいなと思います。

ここでは夢や理想だけではなくて、科学的な現実的なアプローチがすごく重要になってきます。投資家は夢物語に投資するのではなく、インパクトがこれくらい出るのだという想定が必要で、それに対してどれくらいできたか、できなかったか、じゃあどうしようかというのが投資のプロセスですから、このあたりの根拠となる研究などが足りないところと思います。

自社だけで完結するのではなくて、どこかへのしわ寄せを許さないということが原理になってきていますので、サプライチェーン全体で考えること、フリーライダーは許されないこと。ここから考えて、掛かるコストは、そこを認めてくれる、一緒に考えてくれる投資家を自ら選んでいくということも必要になってくると思います。これが長期的視点をもつ投資家を味方にするということなのですけれども、ここでもインパクトの数値化が、投資家と対話するためには必要になってくると思います。こういった要素の中から、それぞれの立場の中で、何か今後やっていただけることはないかな、と思います。

長期的なシナリオを描くために重要なことは、先ほどの例で言いますと、プラスチックがどこまで悪いのかを把握しているかによって、とる方法や行動が変わってきますよね。だから、単にストローを紙にすればよい、ということではなく、プラスチックが分解されるまでに掛かる年月がもうちょっと短くなれば、とかが出てくると思うのです。こういった研究も必要になってくると思いますので、本当によいものは何なのか、研究機関などで見つけていっていただきたいと考えています。特にポジティブな影響とネガティブな影響をセットで考えていただきたいです。

客観的に見るというのがすごく難しいのですけれども、自社の立場で考えてしまうと「これはよいはずだ」ということになりがちです。例えば、石炭火力は効率さえよくすればいいこと、とは世界的には受け取られていません。これは客観的に見ていかなければならない。不都合な真実なのです。現在、マテリアリティというと、自社の強みは何だという、CSV みたいなアプローチになりがちですけれども、その前に認めにくいところを認めていくことが必要で、これには客観性が必要だと思います。こういうところがこれから求められるポイントと課題だというふうに考えます。

長い時間、皆さん聞いていただきまして、どうもありがとうございました。

注

1）企業の責任ある行動原則として、一般社団法人日本経済団体連合会（経団連）が1991年に制定した憲章。2017年改定版では、〜 Society 5.0 の実現を通じた SDGs の達成〜をテーマに改定が行われた。https://www.keidanren.or.jp/policy/cgcb/tebiki7.pdf

2）国連環境計画金融イニシアチブ　https://www.unepfi.org/

3）動画については、Blueprint のウェブサイトを参照　https://blueprint.unpri.org/?dm_i=1PCE,4XZAE,AYSXE7,ITZ9V,1

4）次のリンクよりダウンロード可能　https://www.unpri.org/download?ac=2973

編著者一覧

編者：　井上雅文　東京大学教授　博士（農学）

　　　　京都大学農学研究科博士課程林産工学専攻修了後、京都大学助手（木質科学研究所、生存圏研究所）、東京大学助教授（アジア生物資源環境研究センター）、准教授を経て、2016 年より現職。専門は環境材料設計学、木材利用システム学。

　　　　長坂健司　東京大学特任助教　Doctor of Forest Sciences

　　　　ゲッティンゲン大学森林科学・生態学部博士課程修了後、同志社大学助教を経て、2017 年より現職。専門は木材利用システム学、森林政策学。

　　　　安藤範親　農林中金総合研究所主事研究員

　　　　2010 年 3 月東京農工大学大学院単位取得退学。同年より農林中金総合研究所に勤務。国内のマクロ経済分析を担当後、13 年より林業・林産業・建築業等の研究を担当。2016 年より東京大学アジア生物資源環境研究センター共同研究員。

著者：　安藤範親　　農林中金総合研究所
　　　　安藤正史　　日本ノボパン工業株式会社
　　　　飯塚優子　　住友林業株式会社
　　　　井上雅文　　東京大学
　　　　内野広行　　ナイス株式会社
　　　　大谷篤志　　積水ハウス株式会社
　　　　加藤　拓　　株式会社マルホン
　　　　木下武幸　　株式会社 J-ケミカル（〜 2019 年 2 月）
　　　　窪崎小巻　　前田建設工業株式会社
　　　　小林典彦　　タマホーム株式会社
　　　　小林道和　　株式会社竹中工務店
　　　　鮫島弘光　　公益財団法人地球環境戦略研究機関
　　　　嶋田　正　　有限会社高橋木箱製作所
　　　　鈴木美智子　株式会社マルホン
　　　　竹下俊一　　タマホーム株式会社

多田忠義　　農林中金総合研究所
田中秀和　　大建工業株式会社
長坂健司　　東京大学
永吉喜昭　　ナイス株式会社
沼田淳紀　　飛島建設株式会社
深沢文雅　　株式会社 J-ケミカル
三輪　滋　　飛島建設株式会社
渡辺千尋　　前田建設工業株式会社

── 木材利用システム研究会について ──

　木材利用システム研究会は、木材産業のイノベーションによる木材需要拡大を目的として、木材産業界とアカデミアの相互理解と協調の場を築き、木材の加工・流通・利用分野の『マーケティング』『環境・経済評価』『政策』などを対象とした研究、教育、啓発活動を行っています。詳細はホームページ（https://www.woodforum.jp/）をご覧下さい。

　木材利用システム研究会へのご質問・ご連絡などがございましたら、お名前、ご所属を明記の上で、研究会事務局宛に e- メールでお寄せ下さい。info@woodforum.jp

2020年1月23日　第1版第1刷発行
2020年2月18日　第1版第2刷発行

エスディージーズ　じ だい の　もくざいさんぎょう
ＳＤＧｓ時代の木材産業
―ESG課題を経営戦略にどう組み込むか？―

編著者 ───────	井上雅文　長坂健司　安藤範親
著　者 ───────	多田忠義　鮫島弘光　ほか
カバー・デザイン ───	若 新
発行人 ───────	辻　潔
発行所 ───────	森と木と人のつながりを考える ㈱ 日 本 林 業 調 査 会

〒 160-0004
東京都新宿区四谷2－8　岡本ビル405
TEL 03-6457-8381　FAX 03-6457-8382
http://www.j-fic.com/

印刷所 ───────	藤原印刷㈱

定価はカバーに表示してあります。
許可なく転載、複製を禁じます。

ISBN978-4-88965-261-1